ANTISSEMITISMO
EXPLICADO AOS JOVENS

Michel Wieviorka

ANTISSEMITISMO EXPLICADO AOS JOVENS

Traducão
Joel Ghivelder

EDIÇÕES DE
Janeiro

© Editions du Seuil, 2014
© 2014, desta edição, Edições de Janeiro

Todos os direitos reservados e protegidos pela Lei 9.610, de 19.2.1998.
É proibida a reprodução total ou parcial sem a expressa anuência da editora e do autor.
Este livro foi revisado segundo o Acordo Ortográfico da Língua Portuguesa de 1990, em vigor no Brasil desde 2009.

CRÉDITOS DA EDIÇÃO BRASILEIRA

EDITOR
José Luiz Alquéres

COORDENADORA DE PRODUÇÃO
Cristiane de Andrade Reis

ASSISTENTE EDITORIAL
Aline Castilho

TRADUÇÃO
Joel Ghivelder

REVISÃO
Martha Lopes

CAPA
Carolina Ferman

DIAGRAMAÇÃO
Abreu's System

CIP-BRASIL. CATALOGAÇÃO NA PUBLICAÇÃO
SINDICATO NACIONAL DOS EDITORES DE LIVROS, RJ

W651a

Wieviorka, Michel
    Antissemitismo explicado aos jovens / Michel Wieviorka; tradução Joel Ghivelder. - 1. ed. – Rio de Janeiro: Edições de Janeiro, 2014.
    XXXp.
    Tradução de: L'antisémitisme expliqué aux jeunes
    ISBN: 978-85-67854-28-1

1. Antissemitismo. 2. Judaísmo. I. Título.
14-16069   CDD: 305.8924   CDU: 316.347(=411.16)

EDIÇÕES DE JANEIRO
Praia de Botafogo, 501, 1º andar, bloco A
22250-040 | Rio de Janeiro, RJ
+55 (21) 3796-6708
contato@edicoesdejaneiro.com.br
www.edicoesdejaneiro.com.br

Obrigado à Séverine Nikel e à minha irmã Annete,
que acompanharam a gestação deste livro,
do princípio ao fim.

Sumário

Prefácio
Por um sentido ético universal
Israel Klabin.................................... 9

Primeiro encontro
O antissemitismo é um racismo......... 21

Segundo encontro
Antes do antissemitismo moderno:
o antijudaísmo.................................. 31

Terceiro encontro
Antissemitismo moderno
e obsessão da conspiração 45

Quarto encontro
O nazismo, o antissemitismo
e o genocídio dos judeus................... 59

Quinto encontro
**O Estado de Israel,
os judeus e os antissemitas**................. 75

Sexto encontro
**Retomando a Shoah,
o negacionismo e o *Shoah business*** 87

Sétimo encontro
**O novo antissemitismo,
um novo antissemitismo global**......... 95

Oitavo encontro
**Como está o antissemitismo hoje?
É possível medi-lo?** 107

Encontro final
Três últimas perguntas 115

Prefácio

Por um sentido ético e universal

Israel Klabin

Com este excelente livro, Michel Wieviorka preenche uma lacuna sobre a origem do antissemitismo esclarecendo-a desde as suas raízes históricas até os dias de hoje. Ele é direcionado às novas gerações, que não vivenciaram a história do Holocausto e da criação de Israel.

— Michel Wieviorka foi aluno do sociólogo francês Alain Touraine para se tornar um dos mais importantes intelectuais da França, e a sua influência tem sido global. Vários dos seus livros já foram traduzidos para diferentes línguas e ele se tornou um dos mais importantes cientistas sociais, focando seu trabalho essencialmente nas origens da violência, do terrorismo, do racismo e de outros fenômenos, a partir dos quais ele teoriza as mudanças sociais.

Como sociólogo, junto a Touraine, ele desenvolveu ferramentas científicas chamadas "intervenções sociológicas" e as utilizou para estudar movimentos sociais, fossem eles de ativismo estudantil, fossem oriundos das demandas das organizações trabalhistas.

No caso deste seu trabalho sobre antissemitismo dirigido aos jovens, ele utiliza formas de diálogo a fim de explicar cenários históricos.

O racional deste livro indica um caminho que necessitava ser percorrido mesmo por aquelas gerações que conviveram com o Holocausto, com a criação do Estado de Israel e com o renascimento de um antissemitismo acobertado por um antissionismo. O livro é uma revisão orgânica explicativa deste fenômeno que tem sido o ciclo multimilenar de movimentos sociais e que, a partir do século XVIII, foi denominado de antissemitismo.

Na verdade, a expressão "antissemitismo" modernamente foi uma invenção europeia forjada na França e na Alemanha e irradiada pelo resto da Europa na segunda metade do século XIX. Naquele momento, naquela região do mundo, as minorias judaicas eram confinadas em guetos, ou seja, em bairros cercados nas grandes cidades europeias. Se isso serviu para alguma coisa, foi para cristalizar durante 2.000 anos a cultura de um povo que, por ter sido historicamente isolado das grandes comunidades nos países em que vivia, aprofundou internamente a sua cultura, aperfeiçoou as poucas profissões que eram permitidas a ele e desenvolveu laços intrínsecos com as comunidades judaicas em vários outros países, não só europeus, mas em todo mundo. Com isso criou-se uma nação sem país, porém unida pela sua religião, pela sua cultura e pela sua etnia, formando uma cultura universal através dessa rede.

As pressões sofridas pelas comunidades judaicas, sobretudo na Europa, forjaram uma unidade religiosa e cultural entre as diversas congregações. Como reação a isso, criou-se o antissemitismo, que foi a semente malévola espalhada praticamente por todos os países onde se cristalizaram as comunidades judaicas.

O sionismo do fim do século XIX e começo do século XX foi uma resposta, mais política do que religiosa, atendendo novamente a esperança milenar de um povo cujo território nos últimos 2.000 anos era "O Livro" e que voltava a precisar, para a obtenção do projeto prometido há mais de 3.000 anos, ter seus valores, sua cultura e o futuro de suas descendências assegurados num território que historicamente lhes tinha sido alocado por "promessa divina", ou seja, a nação de Israel.

A história do antissemitismo é tão antiga quanto a própria história do povo judeu e sempre se apresentou de formas diversas, porém com uma constante: acusar as comunidades judaicas de enclave estrangeiro à realidade dos países onde se instalavam.

Por várias razões, a contribuição dos judeus nos países que os receberam, por mais positiva e fértil que tenha sido, sempre foi considerada algo estrangeiro às culturas locais.

Após mais de 230 anos de permanência no Egito – país que usufruiu do trabalho criativo dos judeus e se tornou rico e afluente –, os judeus terminaram como escravos e como um grupo social subalterno e perseguido. Durante o cativeiro, a visão de liberdade dos judeus era focada e fermentada pela esperança da volta para a Terra Prometida aos seus ancestrais e pela conquista de Israel, local em que, após chegarem, floresceram em paz e segurança. Séculos depois, sofreram a invasão dos assírios e foram novamente escravizados. Após a sua libertação, voltaram à mesma Terra Prometida, Israel, onde permaneceram até a nova invasão, dos romanos. Desta vez, a dispersão dos judeus pelo norte da África e Europa levou-os a conviverem com as culturas dos países onde encontravam abrigo, num êxodo que durou mais de 2.000 anos, até a recriação do Estado de Israel em nossos dias. Este ciclo de perseguição – volta a Canaã, dispersão, nova onda de perseguições e reconstrução do Estado na Terra Prometida – tornou-se uma constante para um pequeno povo que tem, de uma forma ou outra, iluminado os caminhos da humanidade.

Durante vários séculos, o renascimento do antissemitismo na Europa foi fomentado como um anticristianismo. Essa síndrome atingiu seu apogeu nos séculos XV e XVI através da Inquisição. No entanto,

POR UM SENTIDO ÉTICO E UNIVERSAL

é preciso lembrar que o cristianismo nasceu no exílio romano, durante os primeiros 300 anos, concebido pelos mesmos judeus que foram levados como escravos para Roma, por meio das sementes culturais herdadas dos seus ancestrais, que se reorganizaram, então, sob a forma de um novo humanismo, originando o cristianismo.

Durante esses 2.000 anos, explica Michel Wieviorka, os judeus levaram sua cultura, expressa pelos valores de sua religião, aos países para os quais imigraram e se mantiveram contrários à sua assimilação, porém sempre contribuíram de forma positiva para o desenvolvimento dos países que os agasalhavam, com o seu trabalho e sua capacidade intelectual.

Neste livro, Michel Wieviorka transcende os aspectos históricos e sociológicos, mostrando com clareza as formas diversas de antissemitismo do momento atual.

A importância de sua obra para as novas gerações, que não tiveram a experiência de conviver com um dos fenômenos mais imorais da história da humanidade, o Holocausto, é transcendental. A possibilidade de esquecimento ou de minimizar esse fenômeno, bem como as novas ameaças de sua repetição, que já se desenham no horizonte, fazem com que seja necessário relembrar o que aconteceu.

Dois fatos marcantes se desenharam no pós-guerra do século XX: a criação do Estado de Israel e a manutenção do gérmen antissemita, que permanece em vários países e que se mantém como a matriz fundamental do antissemitismo moderno.

Tony Judt, importante historiador britânico, morto recentemente nos Estados Unidos, escreveu um relevante trabalho sobre o tema: "Uma história da Europa desde 1945". Nele, Judt mostra que grande parte dos países europeus que coabitavam com o antissemitismo antes da Segunda Guerra Mundial manteve a síndrome de um comportamento social em que a semente antissemita continua a florescer. Diz ele:

> Os judeus que regressavam dos campos de concentração ou do exílio não eram exatamente bem-vindos. Depois de anos de propaganda antissemita, as populações locais de toda parte não apenas se mostravam inclinadas a culpar os "judeus" no sentido abstrato por qualquer sofrimento, como também lamentavam constatar a volta de homens e mulheres cujos empregos, bens e apartamentos tinham sido roubados por essas mesmas populações

Assim é que país por país, da França à Hungria, da Tchecoslováquia à Itália, um novo tipo de antissemitismo light estava no substrato do comportamento das populações desses países. É claro que isso não transparecia nas políticas públicas, porém subsistia no comportamento de algumas minorias como memória escondida, herdada dos seus antepassados.

POR UM SENTIDO ÉTICO E UNIVERSAL

A criação do Estado de Israel, aclamada pelos judeus como a realização de uma aspiração de mais de 2.000 anos e como consequência do Holocausto, transformou o comportamento social dos judeus da diáspora, dando a eles, além da responsabilidade como cidadãos dos países onde nasceram, a sensação de solidariedade e participação vivencial na continuidade da existência e na segurança de Israel como símbolo de sua própria identidade.

Um novo fenômeno, porém, passou a desafiar a existência do novo Estado de Israel por meio de constantes guerras e desafios militares levados à frente por países vizinhos. Isso forçou Israel a manter embates militares e fez com que judeus da diáspora se solidarizassem contra essas ameaças, que, em última análise, significavam, caso viessem a destruir o Estado de Israel, uma nova onda que reproduziria o status do antissemitismo pré-Segunda Guerra Mundial e a perda da identidade recém-construída.

Depois desse período, as comunidades árabes e muçulmanas em países como Inglaterra, França, Alemanha e vários outros passaram a abarcar novos modelos de embate antissemita. De certa forma, isso vem alimentando sentimentos antijudeus que também ameaçam os próprios países que absorveram as ondas migratórias muçulmanas no Oriente Médio. A instabilidade política em todos os países árabes, após a chamada "Primavera Árabe", fortaleceu o radicalismo muçulmano e, a partir daí, a criação de grupos terroristas cada vez mais eficientes no seu poder destrutivo, tendo como alvo os judeus, o Estado de Israel e a própria civilização ocidental.

Em resumo, cabe aos jovens de hoje reaprender as lições do passado e compreender que o novo antissemitismo tem as cores marcadas pelo antissionismo e pelo antiocidentalismo.

Creio que essa seja a mensagem principal deste livro tão oportuno e que não apenas esclarece as lições do passado para as novas gerações, mas também ensina a importância do seu comprometimento com o futuro e da solidariedade necessária para combater preconceitos – o antissemitismo e todos aqueles que implicam num anti-humanismo.

O livro de Michel Wieviorka nos faz lembrar ainda que um povo que contava com cerca de 18 milhões de almas foi reduzido a 12 milhões após a Segunda Guerra Mundial. A consequência do Holocausto pode ser medida:

> Dos 125 mil judeus removidos da Áustria, 4.500 voltaram depois da guerra. Na Holanda, onde havia 140 mil judeus antes da guerra, 110 mil foram deportados – dos quais menos de 5 mil retornaram. Na França, dos 76 mil judeus (em sua maioria nascidos no exterior) deportados entre 1940 e 1944, menos de 3% sobreviveram. Mais a leste, os números são ainda piores: na Polônia, de uma população de mais de 3 milhões de judeus, 97,5% foram dizimados. Na própria Alemanha,

em maio de 1945, restavam apenas 21.450 dos 600 mil judeus que viviam no país.

Mais de sessenta anos após o Holocausto, esse povo não conta com mais de 14 milhões de pessoas, dispersas em todos os continentes, sendo que em Israel vivem apenas 6 milhões de judeus. Por tudo isso, o livro *Antissemitismo explicado aos jovens* é, sem dúvida, uma contribuição da maior importância não só para os jovens judeus, mas para todos aqueles que procuram dar às suas vidas um sentido ético e universal.

Israel Klabin é engenheiro formado pela Universidade do Brasil com mestrado em matemática e pós-graduado na Sciences Po de Paris. Ex-Prefeito do Rio de Janeiro, ambientalista e Presidente da FBDS - Fundação Brasileira para o Desenvolvimento Sustentável.

"Judeu sujo!": o insulto ecoou na saída do colégio e feriu profundamente a melhor amiga de Lise. De volta à casa, ela contou o incidente a seus pais, perturbada. Uma vez que eu havia feito pesquisas sobre essas questões, ficou acertado que eu explicaria para ela o que era o antissemitismo. Daí esta série de encontros.

Primeiro encontro

O ANTISSEMITISMO É UM RACISMO

— *O que é, exatamente, o antissemitismo? Você pode me dar uma definição?*

— Digamos, por enquanto, que é o ódio que um grupo humano tem por uma raça, os judeus. Se você quiser, podemos definir melhor ao longo de nossas conversas. Mas saiba desde já que esse ódio diz respeito não a quem são os judeus, mas a quem são os antissemitas.

— *Os judeus formam uma raça?*

— A ideia de raça, em si, é falsa: todos os homens e todas as mulheres pertencem a uma só espécie, a espécie humana. Para um geneticista, a ideia de raça não faz sentido. Se em sua classe há um grupo de jovens cuja cor da pele é negra e outro cuja cor da pele é branca, a distância genética entre dois alunos do mesmo grupo é quase igual à distância genética entre um grupo e outro.

As pessoas que falam em raças querem, na verdade, introduzir ou justificar uma hierarquia baseada em características físicas ou biológicas, como a cor da pele ou os cabelos. Elas se detêm sobre diferenças de qualidades, de defeitos morais ou intelectuais para afirmar que existem raças inferiores e raças superiores. E elas tiram conclusões que as permitem afirmar que um grupo humano pode dominar outros, maltratá-los, excluí-los, explorá-los ou mesmo assassiná-los — elas são racistas.

Dizer que os judeus constituem uma raça é exprimir um racismo, e este racismo tem um nome: antissemitismo. É um racismo singular originado de uma hostilidade que atravessa toda a história há mais de dois mil anos e que fez dos judeus uma minoria frequentemente perseguida.

— *Por que esta hostilidade contra os judeus?*
— É exatamente sobre isto que iremos falar! A hostilidade contra os judeus, que em toda parte são uma minoria (exceto em Israel, hoje em dia), é encontrada em todas as épocas. Ela surge particularmente nos períodos conturbados, em tempos de crise econômica e social. Ela pode ser manipulada com fins políticos e desviar o descontentamento da população usando um bode expiatório.

— *Você disse que o antissemitismo é um racismo. O racismo não diz mais respeito aos negros, aos árabes, aos asiáticos?*

— Você tem razão. O racismo moderno, que teve seu início no século XIX com a pretensão de fundamentar de maneira científica a ideia de raça, serviu para justificar a expansão colonialista, o desprezo e a dominação sobre numerosos grupos humanos em todo o mundo. Todos os tipos de escritos propuseram então hierarquias raciais baseadas em critérios supostamente rigorosos, como o formato do crânio, a pigmentação da pele etc. E tais esforços de classificação visavam, todos eles, mostrar a superioridade de homens brancos e ocidentais.

Os judeus com frequência não encontram seu lugar nessas classificações. O racismo que os tem em mira é especial, singular, tem por base a oposição entre "arianos" e "semitas".

— *O que é um "semita"?*
— Para compreender este vocabulário e por que se fala de "antissemitismo" é preciso fazer um desvio para a filologia, a disciplina científica que estuda as línguas e suas origens. No século XIX, sábios começaram a construir a ideia de que teria havido no passado, de um lado, as línguas semíticas e os povos semitas (incluindo judeus e árabes), cujo território original se situado lado do Oriente, e, de outra parte, as línguas e os povos arianos, ancestrais dos europeus. Ao longo do século XIX este debate se manteve vivo, fosse para dizer de onde vinham essas línguas "semíticas" ou como elas se diversificaram e se loca-

lizaram, fosse para determinar a oposição com outras famílias de línguas, começando com a língua "ariana". Aqueles que defendiam a ideia de uma origem ariana para os povos da Europa se opunham aos semitas. Nas trocas de pontos de vista que se diziam científicos, certos sábios se proclamavam antissemitas.

Eu acrescento que a palavra "semita" foi inventada no fim do século XVIII, em referência a Sem, filho de Noé, e sua descendência. É o que muito diz a Bíblia!

— *Você quer dizer que ser antissemita, originalmente, é ser contra os judeus, mas também contra os árabes?*

— É o que a palavra quer dizer, teoricamente. Mas, assim que foi criada e usada, ela deixou de se referir aos árabes para dizer respeito apenas aos judeus. É surpreendente constatar que, assim que foi lançado, o termo atingiu um sucesso fulgurante e mundial. Ele foi proposto em 1860 em um debate erudito e popularizado em 1879 por um publicista alemão, Wilhelm Marr. Em dois ou três anos ele passou a ser usado em todos os lugares da Europa com o sentido de hostilidade racista contra os judeus.

O antissemitismo moderno se organiza ideologicamente sob o signo da raça. Os antissemitas, como o jornalista Édouard Drumont, descrevem os judeus como naturalmente malévolos, dotados de atributos intelectuais e morais negativos — eles seriam, por exemplo, ávidos por dinheiro —, mas também com características físicas que os diferenciariam dos outros povos. As descrições começam a ficar mais precisas: eles teriam necessariamente o nariz adunco e a boca beiçuda, ou, ao contrário, os lábios seriam acentuadamente finos etc. Seu apreço por ganhos seria visível também nas mãos e na maneira física de andar. Essas características seriam atávicas e hereditárias.

Essas descrições eram usadas na época do nazismo. Vou lhe dar um exemplo célebre, que é o de uma exposição organizada em Paris sob a ocupação alemã, em 1941, com o título "O Judeu e a França". Eis o que disse o *L'Illustration*, um jornal da época:

"Em uma sala, encontramos os elementos de um estudo morfológico dos judeus. Uma enorme cabeça representando o tipo clássico do judeu sustenta, em cada uma de suas partes, chifres que remetem a conhecidos cartazes. 1) Orelhas grandes, maciças e de abano. 2) Boca carnuda, lábios espessos, lábio inferior proeminente. 3) Nariz acentuadamente adunco, flácido e com narinas grandes. 4) Fenda nasolabial. Traços pouco marcados..."

É um discurso de puro ódio.

– *É realmente possível reconhecer um judeu?*
– Claro que não. Há todos os tipos físicos entre os judeus: peles claras e cabelos louros ou ruivos na Polônia ou na Dinamarca, peles negras no caso de judeus da Etiópia ou do Iêmen. Nos países árabes onde há judeus, nenhum traço físico permite distingui-los

de seus vizinhos cristãos ou muçulmanos. Fora rituais religiosos, vestimentas tradicionais, hábitos culturais, um sinal usado por aqueles que reivindicam sua identidade judaica (uma estrela de David, por exemplo) ou ainda um signo imposto, como a estrela amarela que os nazistas forçavam aqueles que eles designavam como judeus a usar, nada permite reconhecer os judeus.

E, quando acreditamos reconhecer um "tipo semita" ou "um nariz judeu", estamos encobrindo a realidade com caricaturas antissemitas.

— *Fala-se muito em "povo judeu". Se eles não são uma raça, eles formam um povo?*

— De acordo com a Bíblia, sua religião faz dos judeus o "povo eleito" de Deus. Ali, a palavra "povo" tem um sentido religioso, é o conjunto daqueles que têm o judaísmo como religião. Historicamente, foi como povo que os judeus se revoltaram contra a dominação romana na Judeia, em 66 d.C. A revolta durou quatro anos e terminou com uma derrota. A vitória de Roma conduziu ao incêndio, depois à destruição do templo de Jerusalém em 70 d.C. Do templo, sobrou a parede ocidental, chamada de "Muro das Lamentações", de que você certamente já ouviu falar e que é ao mesmo tempo um lugar de oração, um testemunho do passado e um símbolo da identidade judaica de Jerusalém. Do esmagamento da revolta resultou um exílio massivo, a diáspora, quer dizer, a dispersão dos judeus em toda a Europa e no Oriente Médio, onde sua instalação é contemporânea à difusão do cristianismo. Muitos entre eles continuarão a se sentir como se pertencessem a um povo. Ser um povo proporciona o sentimento de pertencimento a um grupo humano, a uma cultura, uma história, a tradições partilhadas (religiosas, alimentares, vestimentais, artísticas etc.), às vezes, a uma língua. É tudo isso, e não um patrimônio genético comum.

Até nossos dias há diferentes maneiras de se sentir judeu ou de definir a judeidade, o fato de se sentir judeu: pode-se ser judeu no sentido religioso, adepto do judaísmo; existem também judeus ateus, ou agnósticos, que se recusam a serem identificados com uma religião, mas que se sentem, contudo, parte do povo judeu.

Enfim, muitas pessoas que tinham ancestrais de religião judaica, ou sentiam-se pertencer ao povo judeu, não conservam mais uma ligação com tal passado. Eles deixaram de ser judeus. Seus pais puderam se converter, por exemplo, ao islamismo, ou ao catolicismo, ou a qualquer outra religião. Isto não impede necessariamente os antissemitas de designá-los como "judeus" no sentido racial que dão a esta palavra. Foi isso que aconteceu durante o nazismo, quando homens e mulheres que não tinham mais nenhuma ligação com a identidade judaica foram assassinados como judeus.

— *E Israel, é o Estado dos judeus?*

— Uma população judia muito limitada permaneceu na região após a derrota da revolta contra os romanos. E, antes mesmo da criação do Estado de Israel, em 1948, um movimento inspirado pelo sionismo antevia judeus povoando o futuro Estado. Uma vez proclamada sua independência, muitos foram para lá viver. Nesses casos, ser judeu coincide com a nacionalidade israelense. Mas muitos judeus vivem fora de Israel, diz-se, com frequência, "na diáspora". São franceses, americanos, britânicos ou italianos, e mesmo chineses e japoneses, embora apenas algumas centenas. Contam-se em torno de seis milhões os judeus vivendo em Israel e perto de oito milhões na diáspora.

Pode-se mesmo dizer, e talvez isto a surpreenda, que alguns judeus são sionistas e outros antissionistas.

— *Sionista e antissionista, isto quer dizer exatamente o quê? Eu pensava que "sionista" era um sinônimo de "judeu"!*

— Os antissemitas de hoje com frequência trocam uma palavra pela outra. No fim do século XIX, quando do nascimento dos Estados-nações, Theodor Herzl lutou para que os judeus tivessem seu Estado: é o que se chama então de "sionismo". A palavra vem de "Sião" que, na Bíblia, designa Jerusalém, mas a ideia religiosa ou cultural de que os judeus deveriam retornar para lá um dia existia há muito tempo nas comunidades judaicas.

O ANTISSEMITISMO É UM RACISMO

No entanto, na mesma época, outros se opuseram claramente à própria existência de tal Estado: eles consideravam que os judeus deveriam viver no meio de outros povos, misturados a eles. Esta oposição ao projeto sionista fez nascer o termo "antissionista", que era, antes de tudo, uma questão interna ao mundo judaico. E você encontrará judeus que hoje em dia têm reservas ou são mesmo hostis com relação ao Estado de Israel.

Segundo encontro

ANTES DO ANTISSEMITISMO MODERNO: O ANTIJUDAÍSMO

— *Você falou de uma hostilidade para com os judeus que atravessa a história há dois mil anos. De onde ela vem?*

— Não é uma hostilidade racial, mas religiosa, que visa a religião judaica e os judeus enquanto adeptos dessa religião. O antijudaísmo foi um sentimento largamente difundido no mundo cristão em todas as épocas.

— *Mas por quê? Judeus e cristãos não têm a Bíblia em comum?*

— Claro! Quando você pega uma Bíblia, você constata facilmente: o Antigo Testamento constitui o passado comum a todos, judeus e cristãos. Não esqueça que Jesus era judeu antes de fundar a religião que foi chamada de "cristianismo". Os primeiros cristãos são judeus que reconhecem Jesus como o enviado de Deus à terra, o Messias.

Jesus é judeu, mas rapidamente ele encarna uma nova religião, também monoteísta, que deve muito à religião judaica, mas que dela se diferencia e se desliga. Jesus é o filho de Deus? É o tão esperado Messias, ele que, com seus discípulos, anuncia o Reino de Deus? Uma parte dos judeus daquela época o reconhece como tal e torna-se cristã. Os outros veem nele um falso profeta e se opõem ao cristianismo. Jesus foi crucificado em uma cruz que indica "rei dos judeus", ao fim de um processo no qual se misturaram a hostilidade que ele provocava nas autoridades judaicas da época e na autoridade política, dos romanos, que eram o poderio ocupante.

— *Os judeus mataram Cristo?*
— Foram os dignitários religiosos judeus que fizeram Jesus ser preso e que instalaram uma corte de justiça que vai condená-lo. Mas foi o prefeito romano Pôncio Pilatos quem o condenou à crucificação.

A partir de então, os cristãos sempre desenvolverão a ideia de que os judeus são culpados pela morte de Jesus ou, em todo caso, culpados por terem contribuído para tanto. No seio da Igreja informa-se aos cristãos, em ensinamentos religiosos, que os judeus são o povo "deicida", um povo que matou Deus, e isto é repetido para eles nos sermões. Assim se difunde, através dos séculos, que tal povo é odioso, que deve ser humilhado.

Tal pensamento impregnou profundamente todo o cristianismo até os anos 1960. É o que um historiador francês, Jules Isaac, chamou de "ensinamento do desprezo", em meados do século XX.

Há duas fontes principais daquilo que ainda não se deve chamar de "antissemitismo" mas, sim de "antijudaísmo": de um lado, e para começar, a censura feita aos judeus por não reconhecerem Jesus e se recusarem a aderir ao cristianismo. Esta resistência, esta recusa de renunciar à sua fé, de se converter, é, em toda a história, um fenômeno marcante que provoca hostilidade. E, de outro lado, há a acusação de ser um povo criminoso, deicida.

As primeiras fontes de um ódio estruturado, pensado e teorizado aos judeus datam em verdade da aparição e do desenvolvimento rápido do cristianismo.

– *Na Europa cristã da Idade Média era forte a hostilidade contra os judeus?*

– Durante a Idade Média, minorias judias viviam no meio cristão em toda a Europa, até na Rússia. Os judeus ali formaram comunidades numerosas, vivas. Eles também continuavam a se deslocar com frequência, uns para desenvolver atividades econômicas onde era possível, outros porque haviam sido expulsos de uma cidade ou de um país. Eles exerciam toda sorte de ofícios.

Ao longo de toda a Idade Média houve períodos ou lugares em que as coisas se passavam, de preferência, bem para eles. A época em que a Península Ibérica era muçulmana, ao fim do primeiro milênio d.C. e no início do seguinte, é geralmente apresentada como uma Idade do Ouro para a cultura e a vida econômica judaicas. A Polônia do século XVI também ficou na memória dos judeus como o centro mundial de uma vida judaica ativa e próspera. Em outros lugares, e em outros tempos, as discriminações e as violências podem ter sido consideráveis, indo até a expulsão e o massacre.

Algumas cidades, alguns quarteirões lhes eram proibidos. Os judeus podiam ser confinados a uma quadra, uma rua. Se você olhar no Google, verá que centenas de ruas na França levam o traço desse passado: elas se chamam "rua da juderia" ou "rua dos judeus". A partir do século XVI, os guetos – quarteirões separados, às vezes cercados por muros – serão criados (o primeiro é o de Veneza).

Os judeus não podem então ter o direito de pertencer a corporações, de exercer algumas profissões. São confinados a alguns ofícios, por exemplo, os assuntos de dinheiro (notadamente o empréstimo a juros, proibidos aos cristãos). Algumas vezes eles devem usar uma marca que os diferencie – uma tradição remetida à ordem do dia pelos nazistas com o porte obrigatório da estrela amarela.

A mistura de desprezo, ódio e preconceitos que os tem como mira desemboca, em alguns momentos, em terríveis violências. Sinagogas são destruídas. Os judeus são privados de seus bens, massacrados. Eles são expulsos da Inglaterra pelo rei Eduardo I em 1290; da França diversas vezes, notadamente por São Luís em 1254, Felipe o Belo em 1322 e, finalmente, Carlos VI em 1394; da Áustria em 1421, antes da célebre expulsão da Península Ibérica em 1492.

Eles também servem de válvula de escape. No tempo das cruzadas, os exércitos que se dirigem a Jerusalém para libertar o túmulo de Cristo, caído em mãos dos "infiéis", quer dizer, dos muçulmanos, se entregam a massacres: os cruzados executam os judeus que encontram em seu caminho.

Com base em rumores, judeus são mortos, mesmo que aquilo de que são acusados seja falso.

– *De que eles são acusados?*
– São acusados periodicamente dos piores horrores, sempre os mesmos: por exemplo, de terem matado uma criança cristã para se alimentar de seu sangue, de pactuar com o diabo, de envenenar a água dos poços dos cristãos e a partir daí, em certos casos, de provocar as epidemias. As acusações podem ser muito precisas: conta-se que eles matam crianças cristãs na ocasião da Páscoa judaica e usam o sangue para preparar o pão ázimo que comem naquele período. É a acusação da "morte ritual", que persiste até o século XIX na Europa Central e no Oriente Médio.

Quando a peste negra ataca a Europa, entre 1347 e 1350, o rumor se difunde tão rapidamente quanto a epidemia para acusar os judeus de terem envenenado a água e o ar. Milhares deles são mortos com base nessa acusação em Estrasburgo, Colmar, Frankfurt e muitas outras cidades.

Em alguns casos pode-se falar de massacres em massa. Os mais célebres são aqueles perpetrados em meados do século XVII pelos cossacos de Khmelnytsky, na Ucrânia — os historiadores estimam o número de 100 mil judeus assassinados em dois anos.

O ódio aos judeus não é apenas uma opinião, é o fundamento de práticas de exclusão, de discriminação, de segregação e de violência. Antes mesmo que se possa falar de antissemitismo propriamente dito, ele assume formas criminais.

— *Você tem certeza de que os judeus não fizeram nada para acontecer o que lhes aconteceu?*
— Absolutamente. Jamais os judeus mataram crianças para beber seu sangue, jamais eles cometeram mortes rituais, ou envenenaram poços, jamais tiveram atividades satânicas. Mas esses rumores têm uma força tão maior porque têm apoio em um ensinamento cristão que difunde o ódio ao povo deicida.

— *Fala-se sempre da ligação dos judeus com o dinheiro. Diz-se que eles outrora eram usurários.*
— Houve judeus que praticavam a usura, quer dizer, o crédito a taxas muito altas, certamente. Mas não

ANTES DO ANTISSEMITISMO MODERNO: O ANTIJUDAÍSMO

era porque estava embutido em seus genes! É porque eles foram impelidos para essas ocupações, em que eram admitidos e prestavam bons serviços aos poderes, bem como aos cristãos. Eles adquiriram competências, uma habilidade. Houve também judeus muito ricos, banqueiros que emprestavam, por exemplo, às pessoas importantes. Mas isso não quer dizer que eles tinham uma sede insaciável por dinheiro, que eles só pensavam naquilo.

E, em sua grande maioria, os judeus, durante toda essa época longínqua de que falamos, eram pessoas pobres ou de condição modesta, que não se ocupavam de créditos ou finanças. Contudo, muito cedo eles foram censurados por encarnar o dinheiro.

– *Mas por que não se fala em antissemitismo na Idade Média?*

– Isto seria um anacronismo, ou seja, a descrição de uma coisa do passado com palavras que só apareceram bem mais tarde e para informar outra coisa, em um contexto totalmente diverso. De modo geral, os historiadores nos pedem para evitar este tipo de erro.

Até o fim da Idade Média, o conceito de raça era ausente nos sermões e nos livros de oração cristãos. É no século XV que ele se exprime pela primeira vez na Europa, mais particularmente na Espanha (e em Portugal), sobretudo depois de o poder ter expulsado os judeus do país, em 1942. Porque o poder, sempre alardeando sua cristandade, resolve fazer os judeus partirem e deixarem as terras para que fossem controladas por eles, pelo poder, que quer estar seguro de que aqueles que aceitaram se converter ao cristianismo para permanecer na Espanha (e em Portugal) não são uns falsos conversos. E como não é possível saber o que as pessoas fazem em suas casas quando não estão sendo vigiadas, inventam o condicionante da "pureza do sangue" para aqueles que querem se casar, ter acesso a certas profissões ou a um cargo oficial: eles devem provar que não têm qualquer antepassado judeu até a quinta geração que, portanto, têm o "sangue puro", não judeu.

Os inventores da "raça" judaica são, em primeiro lugar, os poderes políticos espanhóis e portugueses da época e as autoridades religiosas sobre as quais eles se apoiam, que irão praticar a Inquisição e usar todos os procedimentos possíveis e imagináveis, inclusive a tortura, para fazer confessar aqueles que se suspeitava terem sangue judeu. A Inquisição agirá durante quase três séculos não apenas na Península Ibérica, mas também em todas as colônias espanholas e portuguesas, particularmente em toda a América Latina. Nesse contexto, o antijudaísmo torna-se um racismo *avant la lettre*[1].

Mas, fora dessa obsessão de pureza do sangue, deve-se continuar a falar de "antijudaísmo" até o século

---

[1] Antes de o termo ter sido cunhado. P. ex.: *As sufragetes eram feministas* avant la lettre. (N.T.)

ANTES DO ANTISSEMITISMO MODERNO: O ANTIJUDAÍSMO

XIX, e não de antissemitismo. Porque, em todas as partes, os judeus podem deixar de sê-lo ao se converterem ao cristianismo. Sua identidade não é descrita como uma coisa natural, inscrita em seus seres biológicos, físicos.

— *Você falou de cristianismo. Isto inclui as Igrejas Protestantes e Ortodoxas?*

— Não há aqui nenhuma diferença, as propostas odientas visando os judeus são encontradas em todas essas variantes do catolicismo. Os nazistas, por exemplo. Pode-se extrair de Martinho Lutero, um dos fundadores do protestantismo, no século XVI, tomadas de posição muito hostis aos judeus. E João Calvino, outra grande figura fundadora do protestantismo, produziu na mesma época escritos virulentos contra os judeus.

No coração desses propósitos encontra-se sempre a ideia do povo deicida e a cólera que suscita a obstinação deles em conservar sua fé — diz-se algumas vezes que os judeus têm a "nuca dura".

Este ódio forma um conjunto complexo. Porque o tema cristão do povo deicida constantemente veiculou outra ideia, a de que os judeus são um povo maléfico, que mantém uma relação específica com o diabo, ou que eles são a causa dos males que afligem uma população — a fome, a pobreza, a catástrofe natural. E, durante muito tempo, sempre que existia uma comunidade judaica — ou seja, essa minoria que se distingue por sua religião — o governo instalado autorizava as piores e mais rigorosas cobranças, eventualmente orquestradas pelo poder político em ligação com as autoridades religiosas cristãs.

— *Entre os muçulmanos, o judaísmo não existia?*

— Maomé não é Jesus, e o lugar dos judeus na história do nascimento do islamismo não tem nada a ver com o que eles ocupam no cristianismo. O islamismo inventou uma condição ambígua, ao mesmo tempo protetora e discriminatória para os povos do Livro, cristãos e judeus, a de "dhimi", isto é, "protegido". Em princípio, eles são protegidos pelo poder, mas são submetidos a impostos especiais e devem trajar roupas que os distinguam dos muçulmanos.

Assim, a hostilidade religiosa ligada ao tema do "povo deicida" não existe em terras muçulmanas. Mas os judeus se recusam a adotar os ensinamentos do profeta e formam grupos à parte. Sua rejeição da "verdadeira fé" algumas vezes provocou discursos de ódio e de violências comparáveis àqueles conhecidos na Europa.

— *Os judeus foram perseguidos sempre e em toda parte?*

— Infelizmente, as minorias são sempre expostas à violência e às discriminações, e isto atravessa toda a história. A característica dos judeus — bem como dos ciganos — é ter preservado uma identidade ao longo dos séculos, malgrado as perseguições. E uma identidade que não os encerra no que hoje em dia chamamos de lógicas comunitaristas: os judeus muito contribuíram para a vida geral das sociedades em que viviam, em assuntos econômicos, científicos, medicinais, culturais. Não deveriam ser reduzidos ao ódio e à hostilidade dos quais são alvo há muito tempo.

— *O ódio aos judeus existe desde sempre? Mesmo antes do nascimento do cristianismo?*
— Antes do cristianismo aparentemente não houve casos de um ódio estruturado em discurso.

Não se sabe, na verdade, quando e como apareceram os primeiros judeus. Os trabalhos dos arqueólogos e historiadores não dizem exatamente a mesma coisa que a Bíblia, mais precisamente o Velho Testamento, que se apresenta como a história dos antigos judeus. Uma coisa é certa: no Oriente Médio, nessa parte do mundo que hoje em dia se chama de Cisjordânia, a oeste do Rio Jordão, e mais ao sul, na Judeia, onde se encontra Jerusalém, havia judeus em tempos muito remotos. Para os historiadores, a religião judaica, o judaísmo, aparece precisamente em meados do século VII a.C.

No princípio, os judeus não provocam, parece, uma hostilidade diferente daquela que se pode ver em outros povos ou tribos da época. Mas eles se distinguem por um traço fundamental: eles acreditam em apenas um Deus, eles são monoteístas.

— *Os judeus são os primeiros a acreditar em um Deus único?*
— Sim. Em seguida virão o cristianismo e o islamismo, religiões que constituem, cada uma delas, um tipo de prolongamento da religião judaica. Até Jesus, os judeus são os únicos a venerar um só Deus, em uma parte do mundo que está em contato com o Egito, a Grécia e depois Roma, onde se adoram um grande número de divindades. Você já deve ter estudado essas civilizações. Parece que, na antiguidade, os egípcios detestavam os judeus, os gregos os desprezavam, porque eram muito ligados ao politeísmo — que, para eles, era um símbolo de civilização —, e os romanos se inquietavam porque sua religião exercia uma profunda atração.

Mais uma vez, seria imprudente falar de antissemitismo naquela época. Na maioria dos casos, se os judeus podem ter sido vítimas de violências, foi num contexto que hoje em dia seria chamado de guerras tribais, rivalidades intercomunitárias, concorrência pelo domínio de recursos locais ou bem mais de dominação imperial. Os egípcios, por exemplo, não hesitavam em reduzir outros povos à escravidão, nem os persas a deportar as elites dos povos que eram subjugados. Revoltas judaicas podem ter sido provocadas por um poder que as comunidades julgavam muito opressor. E os judeus, eles mesmos, fizeram guerras de conquista, a Bíblia preserva narrativas que são às vezes de grande violência.

Terceiro encontro

ANTISSEMITISMO MODERNO E OBSESSÃO DA CONSPIRAÇÃO

– *Como se passou do antijudaísmo ao antissemitismo?*

– O antissemitismo, no sentido exato da palavra, é uma invenção europeia e, na verdade, uma invenção da Europa Ocidental. Eu lhe expliquei como ele foi inventado. Mas falta compreender seu sucesso.

Na França, na Alemanha, na verdade em toda a Europa, a segunda metade do século XIX é ao mesmo tempo a revolução industrial e a construção das nações modernas, com seus Estados. As mudanças são consideráveis. Nesse contexto, os nacionalismos se aguçam e os apelos à pureza do corpo social se reforçam. Os judeus irão cristalizar sobre si uma parte dos temores e das rejeições suscitadas por tais mudanças. O antissemitismo deve muito também ao antijudaísmo que o precedeu e, sob muitos aspectos, preparou.

Pode-se dizer que ali ele encontrou um terreno fértil. Os preconceitos se misturaram sem dificuldades aos discursos do ódio e às práticas que andam juntas.

Assim, o fato de que muitos judeus se assimilam na Europa volta-se contra eles. Isto pode parecer paradoxal, mas assim é. Na França, e particularmente na Alemanha, onde existem antigas comunidades, eles entram na administração, nos exércitos, e alguns até exercem um papel político importante. Judeus, como os Rothschild ou os Pereira, participam do impulso do capitalismo industrial. No século XIX, muitos deles tornam-se membros completos da comunidade do país onde vivem. Na França, foram chamados de "israelitas", que eram cidadãos franceses como os outros, mas que praticavam a religião judaica.

Alguns judeus, um pouco mais cedo, tiveram papel no Iluminismo. Você ouviu falar das Luzes francesas, com, por exemplo, Diderot ou Voltaire, e de Luzes alemãs, com Emmanuel Kant. Desde essa época, duas grandes tendências animam o mundo judeu na Europa. Uns reivindicam a igualdade de diretos sem renunciar a suas tradições ou à sua religião, o que chamamos "a emancipação". É o que pleiteia o mais célebre dos filósofos judeus das Luzes, Moses Mendelssohn. Outros pretendem fundir-se com as sociedades e os Estados-nações que se afirmam e querem se assimilar rompendo com a religião e a cultura judaicas.

ANTISSEMITISMO MODERNO E OBSESSÃO DA CONSPIRAÇÃO

Acontecem na França, à época da revolução francesa e um pouco adiante, grandes debates para saber o que fazer com as comunidades judaicas: reconhecê-las como tal? Ou, ao contrário, pedir aos judeus que sejam apenas indivíduos no espaço público e, como disse o conde de Clermont-Tonnere, dar-lhes "tudo como indivíduos" e "nada como nação" (se diria hoje em dia: "nada como comunidade?"). Os revolucionários hesitam: é preciso encorajar as comunidades judaicas a se dissolverem e os judeus a se assimilarem na sociedade? Ou reconhecer suas diferenças, suas especificidades religiosas, suas tradições? É a primeira opção, a de assimilação ou integração, que prevalece na França até nossos dias, não sem tensões de vez em quando.

Veja você, os grandes debates de hoje em dia, mas desta vez de preferência a respeito de muçulmanos, não são novidade.

– *Assimilando-se e fazendo desaparecer sua religião e sua cultura, os judeus tiveram que suprimir ao mesmo tempo o ódio que lhes era dirigido.*
– É o que muitos pensam e seus filhos algumas vezes pagaram muito caro por esta ilusão. Pois, infelizmente, não é tão simples. Quanto mais os judeus se assimilam e se fundem em uma sociedade mais aqueles que os detestam os acusam de se esconder, de avançar mascarados: eles enxergam aí uma astúcia suplementar e o sinal de que a artimanha e a mentira

fazem parte da identidade judaica. Para eles, o fato de que os judeus se tornam invisíveis é apenas uma prova a mais de seu caráter diabólico. E, uma vez que sua diferença não é vista em termos culturais somente em termos religiosos, os antissemitas dirão que ela está inscrita em sua natureza, que ela constitui uma essência de sua "raça".

Na realidade, se os judeus se assimilam, são acusados de se dissolverem na nação e em sua identidade para melhor pervertê-las por dentro. Quando eles formam comunidades religiosas e culturais visíveis, suas tradições, seu obscurantismo, sua recusa de juntar-se à religião dominante são censuradas. E eles também são acusados de constituir grandes massas proletárias prestes a fazer a revolução. Porque, à mesma época, sob o efeito da revolução industrial, principalmente na Europa Central, grandes massas são mobilizadas pela indústria e forma-se um proletariado judeu. Uma parte dos operários judeus se engaja nos movimentos sociais e revolucionários.

— *Mas tudo isso é contraditório, é preciso saber!*

— É contraditório, você tem razão, mas os racistas jamais se incomodam com suas contradições. Assim foi forjado o antissemitismo moderno, com todas as suas variações.

— *A filosofia das Luzes não varreu os velhos preconceitos?*

— Não é tão simples. A filosofia das Luzes pretendia fazer triunfar ideais de justiça e de igualdade, e promover valores universais, começando com a razão. Isto implicava em fazer recuar a opressão, as tradições e o obscurantismo.

Sob este ponto de vista, os judeus que se amparam em sua fé, que vivem em comunidades frequentemente miseráveis, podem parecer, mesmo para alguns pensadores das Luzes, como um obstáculo, uma fonte de resistência à marcha para a modernidade, mas também como a encarnação retrógrada de uma religião que realizou violências terríveis descritas no Velho Testamento. Voltaire escreveu centenas de páginas sobre este tema, em que ele mete no mesmo saco o judaísmo e o catolicismo. E também denuncia o lucro dos judeus.

Este assunto será retomado no século XIX por outros grandes pensadores preocupados com o progresso e a emancipação humana, o que lhes dá uma nova amplitude. Karl Marx, ele mesmo de origem judaica, pode escrever que o Deus dos judeus é o dinheiro, o tráfico, e que o egoísmo é a base da religião judaica. Encontramos em Marx páginas em que os judeus aparecem como um obstáculo à emancipação humana. Esses temas também estão presentes em outros grandes pensadores socialistas, como Pierre-Joseph Proudhon ou Charles Fourier.

— *Todos os países da Europa são tocados da mesma forma pelo impulso do antissemitismo?*

— Em alguns países, o antissemitismo moderno tem voo próprio; em outros, é sobretudo mais do velho antijudaísmo que continua a grassar. As violências, as discriminações, as campanhas de ódio e os rumores permanecem por muito tempo antijudaicos no império czarista ou no mundo árabe-muçulmano. Mas, mesmo lá, a ideia de que os judeus são uma raça maléfica encontra vivo sucesso e se sobrepõe ao antijudaísmo tradicional.

Em toda a Europa os judeus são suspeitos de conspirar, de prejudicar a integridade da nação, de se mascarar para melhor promover seus interesses. Aqueles que os detestam, ou que querem cinicamente manipular a população para desviá-la de outras preocupações reais – políticas, econômicas, sociais, militares –, os acusam de ter projetos secretos. Assim se estabelece uma obsessão de conspiração que prospera ainda até os nossos dias.

Inventa-se todo tipo de assunto. O exemplo mais conhecido e mais extremado é o dos "Protocolos dos Sábios de Sião", uma falsificação que começou a circular bem no princípio do século XX, e de que foi apresentada como a prova de que os judeus conspiram contra o resto da humanidade.

— *Já ouvi falar: pode-se encontrar na internet!*
— Trata-se de um documento que se apresenta como um projeto de conquista do mundo pelos

judeus — e também pelos maçons porque, desde o fim do século XIX, os meios nacionalistas e católicos, como a extrema-direita, com frequência associam os dois grupos ao mesmo ódio. Esse programa teria sido estabelecido por "sábios" judeus, uma espécie de governo oculto, ao longo de uma vintena de reuniões secretas. Seu objetivo era aniquilar a cristandade usando todos os procedimentos possíveis: a violência, a astúcia, a revolução.

Desde sua fabricação, os "Protocolos" jamais deixaram de ser usados na propaganda antissemita. Hitler via neles uma ilustração da existência de pretensões ocultas por parte dos judeus, uma demonstração de sua permanente mentira. Ainda hoje em dia o texto continua circulando, particularmente nas redes islamistas. Ele ressurge periodicamente nos meios de extrema-direita. E constitui um dos grandes temas da propaganda antissemita na internet.

— *E como podemos ter certeza de que é uma falsificação?*
— Sabe-se exatamente como e por quem eles foram redigidos. Os "Protocolos" foram compostos na França em 1900-1901 a pedido da polícia secreta do poder imperial russo, a Okhrana. O texto, primeiramente escrito em russo, é exatamente a imitação de um panfleto de 1864 que inventava um complô de Napoleão III para a dominação do mundo e que se intitulava "Diálogo nos Infernos entre Maquiavel e Montesquieu, ou a Política de

Maquiavel no Século XIX". Foi escrito por um certo Maurice Joly.

– *O que a Rússia tem a ver com isso?*
– O documento falso deveria servir para uma política hostil aos judeus no coração do império russo e alimentar uma propaganda destinada a demonstrar que os judeus conspiram. É preciso dizer que naquela parte do mundo, desde os anos 1880, o contexto era de um antijudaísmo virulento, violento, caracterizado notadamente pela multiplicação de pogroms.

– *O que é um pogrom?*
– Esta palavra de origem russa significa: destruir tudo, as pessoas e os bens. Os primeiros massacres que foram qualificados como pogroms aconteceram no império russo entre 1880 e 1884. Esta primeira onda, em que se conjugam assassinatos, violações, roubos, destruições e pilhagem, é seguida de uma segunda, entre 1906 e 1903, que atinge seu ponto alto em Kichinev, uma aldeia da Bessarábia, onde se contam 47 mortes em 1903 e 19 em 1905. Os pogroms geralmente apresentam uma característica comum: a violência é feita pelo populacho, desencadeada e encorajada pelo poder político a admoestar os judeus.

– *Houve pogroms na França?*
– Não, mas durante o Caso Dreyfus, em 1898, houve uma agitação antissemita bem viva, com mani-

festações violentas e motins que provocaram mortes em várias cidades da França, assim como na Argélia.

– *O Caso Dreyfus é um sinal do antissemitismo francês?*

– Não se pode dizer exatamente isso, porque o Caso Dreyfus dividiu profundamente a França e porque, após anos de luta, Dreyfus foi indultado e depois reabilitado.

Alfred Dreyfus é um desses judeus muito assimilados que, como eu lhe disse, são suspeitos de minar a nação por dentro. Em 1894, esse capitão do exército francês é acusado de ter entregado aos alemães informações secretas – um tema ainda muito sensível, pois a França não havia digerido a derrota militar de 1870 e a perda da Alsácia e da Mosela, anexadas pela Alemanha. Ele é degredado e condenado a trabalhos forçados perpétuos. Mas sua família se mobiliza para provar sua inocência. Ela consegue convencer diversas personalidades. O Estado-maior, ele mesmo, dispõe desde 1896 de elementos que inocentam Dreyfus e estabelecem que a traição é o ato de outro militar, de nome Esterhazy, mas nada é feito a respeito.

Os "dreyfistas", aqueles que sustentam Dreyfus, recebem o apoio decisivo do grande escritor Émile Zola, que publica um discurso de defesa muito documentado em 1898, seu célebre "Eu acuso…". Dreyfus é finalmente perdoado em 1899 e inocentado em 1906.

Durante alguns anos, a França parece se dividir em duas. Um desenho de Caran d'Ache em 1898, no *Le Figaro*, mostra duas cenas de um jantar de família. Na primeira tudo está bem, é uma refeição burguesa, ordenada. Na segunda, a sala de jantar transformou-se em um verdadeiro caos, os convivas brigados, e a legenda explica: "Eles falaram". Eles falaram do Caso Dreyfus. Este célebre desenho ilustra bem o clima da época.

— *Os dreyfistas são a esquerda e os antidreyfistas são a direita?*

— É preciso ter prudência antes de responder a uma pergunta como esta, porque os tempos mudaram. Esquerda e direita, hoje em dia, não se parecem com o que eram àquela época. E no princípio do caso, a esquerda, aquela que se clama dona do movimento trabalhista e do socialismo, mostra-se mais do que reticente em se envolver. A alta figura de esquerda que é Jean Jaures só se compromete em 1898. Havia o antissemitismo na esquerda, devido ao anticapitalismo e à identificação entre judeus e dinheiro. Já lhe falei de Marx, Fourier e Proudhon.

A luta é mais entre republicanos e católicos, aquilo que se chamou a "guerra das duas Franças". Os dreyfistas, geralmente muito republicanos, recebem o apoio daqueles que se chamarão os "intelectuais", bem como da Liga dos Direitos do Homem, criada neste contexto em 1898. Os antidreyfistas são recrutados nas fileiras nacionalistas, católicas, geralmente antissemitas – a França ainda é um país muito cristão.

O caso revelou a intensidade do antissemitismo na França, do qual já se poderia ter uma primeira ideia considerando o formidável sucesso do livro de Édouard Drumont que se intitula *A França judia*, cuja primeira edição data de 1886, e o sucesso de seu jornal *La libre parole* (A palavra livre), criado em 1892, com tiragem de 200 mil exemplares. O livro tem repercussões no estrangeiro, e também produz o efeito de apoiar a criação de um Estado judaico, que vem como uma resposta ao antissemitismo que grassava na Europa.

– *O que contém* A França judia*?*
– É um livro grande, com algumas 1.200 páginas em sua primeira versão, que apresenta uma lista de três mil nomes de judeus e de seus amigos. Ele abarca todos os temas do antissemitismo moderno, racial, se você quiser, e do antijudaísmo cristão, retomando a oposição entre "arianos" e "semitas". Ele explica que as finanças e o capital estão nas mãos dos judeus, mas também que eles são um povo deicida. O sucesso da primeira edição é tamanho que uma versão reduzida vai para o mercado a partir de 1888. Ela será reeditada mais de duzentas vezes!

Naquela época, o antissemitismo era uma opinião que se podia professar livremente, sem vergonha ou limite no espaço público – eu lhe disse que o jornal de Drumont se chamava *A palavra livre*. As ideias racistas e antissemitas que circularão desde então em todo o mundo devem muito a pensadores, a escritores ou jornalistas franceses como Drumont.

— *Em todo caso, os antidreyfistas perderam. O antissemitismo foi seriamente obrigado a recuar.*

— Infelizmente, você tem muita confiança na razão e na justiça! Em verdade, o Caso Dreyfus não é o fim do antissemitismo na Europa. Este primeiro impulso será seguido de uma calma relativa depois da Grande Guerra, em que franceses judeus e estrangeiros judeus derramaram seu sangue, antes da poderosa onda dos anos 1930, que culmina na França com o regime de Vichy.

Em toda a Europa Ocidental o movimento é o mesmo: os judeus se assimilam, entram na sociedade, na nação. É insuportável aos olhos dos nacionalistas. Ao mesmo tempo, imigrantes judeus chegam do Leste em grandes números, que se distinguem nitidamente dos judeus em processo de assimilação por sua pobreza e suas diferenças culturais, religiosas e linguísticas. Eles são empurrados pela miséria, o antissemitismo, e desejosos de se juntar a sociedades modernas, herdeiras das Luzes. É insuportável para os nacionalistas.

Na Rússia, na Europa Oriental, notadamente na Polônia, uma parte dos judeus se assimila, mas a maioria ainda forma comunidades separadas, minorias geralmente pobres, visíveis e com frequência numerosas, que constituem um alvo fácil para o resto da população. O ódio aos judeus atinge ápices.

Aqueles que acreditam, contra toda argumentação racional e documentada, que os judeus conspiram e agem de maneira maligna não estão realmente incomodados com as demonstrações que os desaprovam. Ao contrário, eles veem nisso uma prova suplementar da justiça, de seu ponto de vista: segundo eles, os judeus seriam tão malignos e perversos que seriam capazes de esconder seus projetos e suas ações maléficas ao ponto de não poderem ser rastreados. Quanto mais se demonstra que é falso acusá-los deste ou daquele horror mais isto mostra sua habilidade na dissimulação!

Com esse tipo de argumentação, sempre se tem razão. Na verdade, quanto mais errado mais se tem razão! Seria possível falar, como fez o historiador Léon Poliakov, de "causalidade diabólica".

Quarto encontro

O NAZISMO, O ANTISSEMITISMO E O GENOCÍDIO DOS JUDEUS

— *Por que Hitler era antissemita?*
— Era uma verdadeira obsessão para ele. Aqueles que se interessam pela psicologia de Hitler dizem que há uma ligação com sua infância, com um pai inexistente, e propõem uma interpretação psicanalítica que o descreve como um psicótico paranoico. Outros evocam a gestação do clima antissemita em Viena, no qual ele se banhou em sua primeira juventude. Também foi apontado seu fracasso no exame de admissão à academia de belas artes. Sempre se diz que a ideologia que ele contribuiu para forjar, a ideologia nazista (através do nacional-socialismo), começa acusando a "judiaria" pela derrota militar alemã de 1918 e considera que toda a recente revolução dos sovietes na Rússia também é obra dos judeus – e que tudo isso

é o produto de um complô contra a Alemanha. O programa de 1920 dos nacional-socialistas compreende o projeto de excluir os judeus da nacionalidade alemã. A publicação de seu livro *Mein Kampf* (Minha luta), em 1925, inclui outros alvos em seu racismo, mas confirma o caráter central de ódio aos judeus.

O nazismo toma muito emprestado da cultura antissemita que se desenvolveu um pouco em toda a Europa, notadamente propagando os "Protocolos dos Sábios de Sião". Ele pretende encarnar o combate dos arianos contra os semitas, a luta de raças que deve terminar com a eliminação da raça judia.

É preciso lembrar que em toda a Europa, e não apenas na Alemanha, alguns anos antes da Primeira Guerra Mundial, as ideologias antissemitas prosperavam. A crise de 1929 faz dos judeus, mais uma vez, os bodes expiatórios. Começada nos Estados Unidos para se estender particularmente na Europa, a crise, a princípio financeira e ligada às bolsas de valores, torna-se muito rapidamente econômica e social: falências, queda da produção, desemprego massivo, pobreza, agitação social e política. Os judeus são um ótimo alvo para desviar as atenções durante situações que enfrentam consideráveis dificuldades econômicas e políticas.

– *Como isto se manifesta?*

– O ódio aos judeus aparece na existência de partidos, ligas e programas explicitamente antissemitas, notadamente na Alemanha e na Áustria. Ele se lê nos jornais e livros com pretensões científicas, que teorizam a ideia de raça judia, que descrevem, dia após dia, os supostos malfeitos dos judeus, que os apresentam às vezes como super-homens, posto que seriam dados a práticas diabólicas, e como sub-homens, pelo que deveriam ser descartados.

Também se constata lendo a literatura da época. Para pegar exemplos na França, posso citar os irmãos Goncourt, que deram seu nome a um prêmio literário conferido todos os anos até hoje em dia; o escritor Robert Brasillach, um ativo colaborador dos alemães durante a Segunda Guerra Mundial, que será condenado à morte e executado quando da Libertação[2]; Louis-Ferdinand Céline também, claro, ao mesmo tempo um dos maiores escritores da época e um antissemita furioso.

Há outras figuras importantes na encruzilhada da vida intelectual e religiosa com a política, como Charles Maurras, que dirigia a Action Française – um movimento realista de extrema-direita que contestava até as origens judaicas do cristianismo – e se juntou ao regime de Pétain durante a Segunda Guerra Mundial. No entanto a França também é o país onde Léon Blum pode se tornar chefe de governo da Frente Popular em 1936: um judeu no comando de um

---

2 Libertação de Paris após a ocupação alemã, em 25 de agosto de 1944. (N.T.).

Estado europeu, o que desencadeia contra ele ataques antissemitas, mas não o impede de exercer o poder.

— *Acha-se também antissemitismo na esquerda?*
— Pode-se também achar, episodicamente, a marca do antissemitismo na imprensa comunista, quando se trata de denunciar o capitalismo e de associar certos judeus às denúncias.

— *Como é possível que tais ideias tenham sido levadas para a Alemanha?*
— Além do que você já sabe sobre a ascensão do antissemitismo moderno em toda a Europa, a Alemanha tem características particulares. No início dos anos 1930, os judeus nesse país são em torno de meio milhão, o que representa menos de um por cento da população. Nada comparável, por exemplo, com a vizinha Polônia, que abriga alguns três milhões de judeus, ou seja, dez por cento da população. Os judeus alemães são, na quase totalidade, educados e integrados à vida econômica e administrativa do país. Além disso, eles mantêm à distância os emigrantes judeus miseráveis que desembarcam do Leste, notadamente da Polônia ou da Rússia. Eles se identificam fortemente com a nação alemã, um pouco como o capitão Dreyfus na França. Nesse país muito cristão, parte católica, parte protestante, a população, em seu conjunto, é fortemente impregnada de antijudaísmo, que faz parte de sua educação desde a pouca idade.

Em 1918, aconteceu o choque não apenas da derrota, mas também da humilhação motivada pelo Tratado de Versalhes. As cláusulas excessivas impostas pelos vencedores fazem pesar sobre a Alemanha a totalidade da responsabilidade da guerra e impõem, sacrificantes reparações. Para os alemães, o tratado é um *diktat*[3] tão menos aceitável porque nenhum soldado aliado chegou a penetrar em território nacional. A isto se acrescentam as dificuldades econômicas, que culminarão com a crise de 1929, assim como o fracasso político da esquerda e a impotência da República de Weimar, uma democracia parlamentar estabelecida em 1919 e que desmorona no início dos anos 1930. Hitler torna-se chanceler, chefe do governo, se você prefere, em 1933. Tudo isso contribui para explicar o que um partido extremista traz consigo. A democracia é frágil e, em situações de crise, os discursos simplificadores e irracionais podem varrer o bom senso.

– *Uma vez no poder, Hitler logo se voltou contra os judeus?*

– Para compreender o que se passa na Alemanha com o nazismo, é preciso também lembrar o papel do líder carismático de um movimento do tipo totalitário, dotado de uma visão de mundo, de uma ide-

---

3 Estatuto com penalidades ou pesados acordos impostos à parte vencida pela parte vencedora. (N.T.)

ologia que transformará o país, o conduzirá à guerra e colocará em prática uma ativa política antissemita.

Seria necessário um livro inteiro, como o de Raoul Hilberg, para entrar na vivência do que aquele historiador chamou de *A destruição dos judeus da Europa*, título de sua obra magistral. Quero justamente lhe dizer, ou lembrar, que muito cedo, em 1935, os nazistas adotam as leis de Nuremberg, leis que pretendem garantir "a proteção do sangue e da honra alemães". Elas dizem, em função da ascendência, quem é judeu, meio judeu e um quarto de judeu, e proíbem os alemães de sangue de casar com judeus.

O novo poder multiplica as medidas hostis contra os judeus, que são discriminados, privados da cidadania alemã e de seus diretos civis, excluídos de certas profissões, destituídos de seus passaportes (em 1938) e espoliados (o que possuem é confiscado). Os nazis chamam isso de "arianização". Impelidos à emigração, sem recursos, os judeus são aterrorizados. No decurso da famosa "Noite de cristal", em novembro de 1938, 200 sinagogas e 7.500 lojas de judeus são saqueadas, dezenas deles são mortos e uns trinta mil enviados para os campos de concentração de Dachau ou Buchenwald. Diz-se "cristal" em referência aos estilhaços de vidro (*kristall*, em alemão) sobre as calçadas, em frente às lojas de judeus cujas vitrines haviam sido destruídas.

Durante a guerra, a partir de 1941, os nazis põem em prática a "solução final para a questão judaica": os assassinatos em massa na retaguarda da frente Leste, depois as deportações para os campos de extermínio, as câmaras de gás. Esse genocídio que causou a morte de quase seis milhões de judeus da Europa, sendo um milhão e meio de crianças, foi realizado com a cumplicidade das autoridades locais, algumas vezes instaladas pelo poder nazista nos territórios conquistados na França, na Polônia e na Europa Central. O genocídio apresenta dimensões de organização administrativa surrealistas, mobilizando inumeráveis burocratas que acreditam estar fazendo seu trabalho e obedecendo a ordens. A perseguição e o assassinato em massa se desenrolam sob uma grande indiferença, às vezes uma satisfação latente, não falada, mas bem real. Porções importantes da população alemã, mas também dos países ocupados, colaboram ativamente. Mas é preciso não esquecer aqueles que tentaram salvar os judeus, os chamados "Justos".

O Estado francês, dirigido pelo marechal Pétain, faz mais do que cooperar com o ocupante alemão. Ele institucionaliza o antissemitismo, promulgando leis como o Estatuto dos Judeus, criando um Comissariado Geral para as Questões Judaicas, colocando sua polícia a serviço dos nazistas para roubar os judeus. É o que acontece em julho de 1942 com o tristemente célebre episódio do Velódromo de Inverno, quando aproximadamente treze mil judeus, dos quais quatro mil crianças, são presos por policiais franceses, encaminhados ao velódromo e em seguida deportados para as câmaras de gás de Auschwitz. Na França, de aproximadamente 330 mil judeus por volta de 1939, 75 mil são mortos em deportações.

— *Mas há judeus que sobreviveram à deportação!*

— Sim. A maioria dos judeus de toda a Europa ocupada foi enviada para centros de morte (como Belzec, Treblinka, Chelmno e Auschwitz-Birkenbau), onde foram imediatamente assassinados. Mas alguns foram explorados como mão de obra escrava em Auschwitz (em que coexistiam o centro de morte e campos de trabalho) e em outros locais. Entre eles, alguns certamente puderam sobreviver. Em meio aos judeus da França, houve três mil sobreviventes da deportação, inclusive Simone Veil, que teve em seguida um papel político muito importante.

Contudo, o projeto dos nazistas era mesmo destruí-los, acabar com aqueles que às vezes chamavam de "os vermes judeus". Mesmo sendo verdade que o esforço de guerra tinha que fazer do trabalho forçado dos judeus nos campos de concentração uma prioridade, posto que constituía uma contribuição econômica que não era de se negligenciar, principalmente perto do fim da guerra, os nazis consideraram que o genocídio era prioritário.

— *Por que ninguém impediu o genocídio? Os Aliados eram indiferentes quanto ao destino dos judeus?*

O NAZISMO, O ANTISSEMITISMO E O GENOCÍDIO DOS JUDEUS

— Parece que os Estados Unidos demoraram a entrar na guerra, entre outras razões, porque o poder político receava ser acusado de guerrear a serviço dos judeus. É preciso saber que o antissemitismo era forte nos Estados Unidos, onde, por exemplo, os judeus não podiam ser nomeados professores em muitos departamentos de universidades. Conheci um professor, David Apter, que me disse ter sido o primeiro judeu que pode ser recrutado no departamento de ciências políticas de uma grande universidade da Costa Leste. Isto nos anos 1960.

É necessário acrescentar que, apesar das informações que circulavam em 1942 sobre os assassinatos em massa que aconteciam no Leste, não havia durante a guerra uma percepção clara do que estava acontecendo. Veja que a palavra "genocídio" data de 1944 e que "Shoah"[4] e "Holocausto" foram palavras inventadas depois da guerra. E, para aqueles que estavam mais ou menos sabendo, a ideia dominante era de que a barbárie nazista terminaria quando a guerra fosse ganha.

— *Com a derrota do nazismo e a revelação de seus crimes, o antissemitismo recuou?*

— Depende do país. Na Alemanha, Hitler e alguns outros se suicidaram nos últimos dias da guerra, ou

---

4 Palavra hebraica que significa desgraça, catástrofe, destruição. Hoje significa a perseguição e assassinato dos judeus europeus durante a Segunda Guerra Mundial e no período que a antecede. (N.T.)

logo depois. Muitos responsáveis nazistas conseguiram fugir da Alemanha, ajudados por redes que, por exemplo, permitiram que eles se refugiassem em países da América Latina ou no Oriente Médio, em locais que não se sentiram embaraçados com a ideia de os acolher. A vergonha que começava a transformar o antissemitismo em crime não tinha muito lugar.

A Alemanha da derrota estava cortada em dois pedaços: os Aliados dividiam uma ocupação com, a Oeste, os Estados Unidos, o Reino Unido e a França, e, a Leste, a União Soviética. A Guerra Fria levava a uma separação radical dessas duas Alemanhas, que seria simbolizada um pouco mais tarde pelo muro de Berlim. Alguns grandes criminosos de guerra foram julgados em vastos processos organizados em Nuremberg. Muitos também, de menor importância, diluíram-se na sociedade alemã e não foram inquietados, ou pouco, ou tardiamente. Assim, a partir do fim dos anos 1950, a Alemanha Ocidental vai corajosamente levar adiante um trabalho formidável sobre si mesma, para compreender o que aconteceu e encarar seu passado com lucidez.

A Áustria, que teve um lugar central no nazismo, constituiu um caso à parte. A reflexão sobre o antissemitismo nunca foi tão longe e profunda quanto na Alemanha Ocidental. Chegou-se a falar em repressão. Assim, aqueles que reclamaram, justamente, que uma alta figura da vida política austríaca e internacional,

Kurt Waldheim, tinha sido oficial da Wehrmacht[5] e trabalhado com os nazistas, notadamente na Grécia, e que o incriminaram, inclusive quando era presidente austríaco (de 1982 a 1986), foram acusados de... conspiração contra a Áustria!

Frequentemente, o que acontece no pós-guerra é entorpecedor. Na Polônia, como em vários outros países do império soviético, o antissemitismo continua a prosperar imediatamente depois do conflito. Nesse país, onde noventa por cento da população judia (perto de três milhões de pessoas) haviam sido exterminados, o nacionalismo se funde com o antijudaísmo católico. A isto se junta o temor de ver sobreviventes judeus reivindicando os bens saqueados por seus vizinhos poloneses. Sobreviventes que retornam a suas aldeias são assassinados. Rumores circulam e o contexto é propício aos pogroms, como o de Kielce (4 de julho de 1946, 42 mortos), plausivelmente orquestrado pelo aparelho comunista que está em vias de tomar o poder. A época é conturbada: os soviéticos começam a instalar o poder sob as ordens de Moscou. O país, que sofreu bastante com a guerra e com a ocupação alemã, é muito católico e, geralmente, hostil ao comunismo. As algumas dezenas de milhares de judeus que sobrevivem à Shoah são quase que empurradas para o exílio, ao curso de

---

5 O conjunto das forças armadas da Alemanha durante o Terceiro Reich, entre 1935 e 1945. (N.T.)

campanhas antissemitas organizadas pelo regime – a última acontece em 1967-1968.

Na Rússia soviética, depois da guerra, o regime manda assassinar escritores judeus e destruir o que resta da cultura judaica, denunciando desde 1948 os "cosmopolitas sem raízes", isto é, os judeus, ou perseguindo o Comitê Antifascista judeu.

– *O que significa "cosmopolita"?*
– O cosmopolitismo é a ideia de que os indivíduos são cidadãos do mundo. A palavra tem uma longa e bela tradição filosófica, que vai de Sócrates às Luzes. Mas ela também é usada de maneira pejorativa, sobretudo entre as duas guerras, para designar pessoas ou grupos que não teriam qualquer apego a uma pátria ou a uma nação. Daí surge a equação antissemita "judeus = cosmopolitas", que acusa os judeus de serem incapazes de se identificar com a comunidade nacional na qual vivem, não terem raízes fora de suas células e serem maléficos, o que os impele a querer dominar o mundo. A equação circula dos nacionalistas aos comunistas.

Na União Soviética, a partir de 1948, os judeus são denunciados como secretamente hostis ao comunismo – ainda que alguns deles tenham sido e ainda sejam ardentes promotores do comunismo. O antissemitismo assume, naquela época, um caráter delirante, paranoico, como revela o caso das "blusas brancas", médicos, na maioria judeus, acusados de maneira totalmente falaciosa por Stalin de terem cometido assassinatos, sabotagens e de conspirarem contra ele para preparar seu homicídio. Sua morte, em 1953, interrompe um processo no qual se preparavam grandes violências contra os judeus.

— *Esse antissemitismo do bloco soviético é diferente daquele que a Europa Ocidental havia conhecido?*
— É uma mistura curiosa, sobretudo nas novas democracias populares, notadamente na Polônia, como eu lhe disse. Um velho ódio antijudaico, nacionalista, muito cristão em sua temática, hostil ao comunismo, se liga por momentos à manipulação do poder comunista, que imputa os males do povo aos judeus. Por exemplo, quando os serviços de segurança suscitam uma forte animosidade no seio da população, uma campanha oficial vem sugerir que são os judeus que agem sobre a cabeça do povo. Judeus, e não "verdadeiros" poloneses.
É preciso dizer que, com frequência, esta é uma estratégia dos regimes estabelecidos por Moscou: eles nomeiam alguns judeus para postos muito visados e expostos, claramente identificáveis, e confiam a eles responsabilidades, o que permite, em caso de tensões ou dificuldades sociais, desviar a atenção para esses responsáveis e fazer deles bodes expiatórios da cólera popular. Na Polônia, por exemplo, Jakub Berman, o chefe da segurança detestado pela população, membro do birô do Partido Trabalhador Unificado Polonês (ou seja, o partido comunista), é judeu, todos sabem.

Em certos países da Europa Central não há mais judeus. No entanto, o judeu permanece como figura do mal no discurso popular e sobrevive ao que um jornalista, Paul Lenvaï, chamou de "antissemitismo sem judeu". Na verdade, é mais um antijudaísmo.

— *E na França?*
— Neste caso, o antissemitismo está desqualificado. Como explica Jean-Paul Sartre, ele deixou de ser uma opinião, é uma "paixão criminosa". Aparentemente, ele se limita a uma ala de extrema-direita que não encontra muito espaço para se exprimir.

De modo geral, não há espaço político para falar sobre a questão judaica. Estamos pouco interessados, ao menos visivelmente, na destruição dos judeus pelos nazis. A hora é de reconstrução e de aliança daqueles que podem reclamar a legitimidade da Resistência, os gaullistas[6] e os comunistas.

— *No seio da Igreja, quando é que finalmente se renuncia ao discurso antijudaico?*
— Depois da guerra, a Igreja Católica, abalada pela compreensão do que havia sido o Holocausto e sacudida pelas acusações que incriminam o silêncio do Papa Pio XII em vista dos crimes do nazismo, faz o necessário para dar fim ao antijudaísmo, que não será

---

6 Seguidores da ideologia política francesa baseada nas ideias e na ação de Charles de Gaulle. (N.T.)

mais do que marginal no seio da Igreja. Em 1962, o Papa João XXIII abre o XXI Concílio da Igreja Católica, dito Concílio Vaticano II, que terminará em 1965. Cerca de 2.500 bispos e responsáveis por ordens religiosas participam, sem falar de especialistas e convidados, e, entre as grandes orientações que se determinam no curso do concílio, aquelas que concernem aos judeus são da mais alta importância: fica claramente indicado que é preciso dar fim às acusações de "povo deicida" e lembrar o patrimônio comum ao judaísmo e ao cristianismo. As perseguições contra os judeus são objeto de uma reprovação explícita.

– *É então o fim do antijudaísmo cristão?*
– Em todo caso, é o declínio, mesmo que alguns setores não concordem com o Vaticano II, e que as Igrejas Ortodoxas estejam longe de fazer o mesmo *aggiornamento*[7]. Você se lembra das Pussy Riot, o grupo de três mulheres mais para *punk* que foram presas em 2012 pela justiça a serviço de Vladimir Putin por terem cantado "Vladimir, arrebente-se!" em uma igreja? A campanha que o poder orquestrou contra elas foi apoiada pela Igreja Ortodoxa Russa, que manejou o antijudaísmo cristão a tal ponto que o advogado das Pussy Riot se viu obrigado a comunicar em seu blog que não era judeu.

---

7 Atualização. Em italiano no original. (N.T.)

Quinto encontro

O ESTADO DE ISRAEL, OS JUDEUS E OS ANTISSEMITAS

— *A criação do Estado de Israel foi a resposta ao antissemitismo? Foi uma resposta satisfatória?*

— No dia 14 de maio de 1948, em seguida a um voto da ONU e no exato momento em que termina o mandato britânico sobre a Palestina, é proclamada a independência do Estado de Israel. É o desfecho de um processo iniciado no fim do século anterior pelo movimento sionista. Este nascimento se faz na violência: os Estados árabes vizinhos não aceitam essa nova concessão e a guerra explode imediatamente. Centenas de milhares de palestinos são empurrados para o exílio. Os judeus da Europa, mas também de países do mundo árabe e muçulmano (de onde mesmos eles foram expulsos para o exílio em seguida às independências), vêm povoar o novo Estado.

Contudo, muitos também fazem a escolha de continuar vivendo na diáspora. Às vezes eles são muito reservados quanto à ideia da existência de um Estado judaico, veja os antissionistas.

– *Quem apoia essa criação? E quem é hostil a ela?*
– Stalin, ao sair da Segunda Guerra Mundial, apoia a criação do Estado de Israel. Muito rapidamente ele se torna contrário e, nos países comunistas, o antissemitismo se encarrega, via propaganda oficial, de ataques recorrentes contra Israel. Os judeus são acusados de ver em Israel sua "verdadeira pátria". Como resultado, os partidos comunistas do mundo inteiro seguem Moscou e tornam-se, eles também, inamistosos ao Estado de Israel, a partir do início dos anos 1950.

Em compensação, na maior parte do mundo ocidental, a imagem de Israel é muito positiva até o princípio dos anos 1980, e os judeus da diáspora se beneficiam disso. A Guerra dos Seis Dias de Israel contra seus vizinhos árabes, em 1967, revela e reforça a simpatia que beneficia Israel além do mundo árabe e de seus aliados soviéticos: é Davi, o pequeno, que acaba de triunfar sobre uma guerra relâmpago contra Golias, o gigante, os inimigos árabes.

Israel é também o país onde os serviços secretos são capazes de sequestrar e de transferir sigilosamente, em 1960, um dos grandes responsáveis pela "solução final", Adolf Eichman, que se escondia na Argentina, para ser julgado em Jerusalém, em 1961. Seu processo atrai a atenção do mundo inteiro e contribui para introduzir a ideia do genocídio dos judeus na consciência universal.

Em 1973, a nova guerra que opõe Israel a seus vizinhos árabes, a Guerra do Yom Kippur, sem suscitar os mesmos ímpetos de simpatia da Guerra dos Seis Dias, não modifica na realidade a imagem de Israel. O "choque do petróleo", subsequente à decisão dos países árabes produtores de petróleo de aumentar os preços para exercer uma pressão sobre os países ocidentais, provoca antes sentimentos antiárabes, ou os reforça.

No entanto, a criação de Israel é feita em detrimento dos palestinos, e muitos se encontram em campos miseráveis, notadamente na Jordânia e, depois, no Líbano. O conflito entre Israel e os palestinos irá progressivamente se transformar em um risco crucial, tanto na região quanto em escala internacional. A maneira como a questão palestina é tratada pelo Estado judeu irá causar mais e mais problemas.

– *Não vá tão depressa! Você acha que, até os anos 1980, a imagem de Israel é boa e que os judeus da diáspora se beneficiam disso?*
– Sim, e há todo um conjunto de elementos que caminham no mesmo sentido. Na França vive uma população judia relativamente importante, cerca de meio milhão de pessoas, dentre as quais muitas vindas

da África do Norte depois da descolonização. Havia minorias judias importantes na Argélia, na Tunísia e no Marrocos. Uma parte emigra para Israel quando esses países se tornam independentes, e outra para a França. Estes são frequentemente confundidos com os *Pied-Noirs*[8], o que é uma aproximação contestável.

Os judeus alardeiam, então, um certo orgulho, reforçado pelo processo Eichman, que começa em abril de 1961, e pelo sucesso da Guerra dos Seis Dias, em junho de 1967. Eles esboçam a transformação que faz com que sejam mais e mais visíveis no espaço público. É uma época bendita para eles. Nos Estados Unidos, por exemplo, as discriminações que os visavam, notadamente nas universidades, desaparecem.

— *Entretanto, o drama dos palestinos consegue tocar a opinião pública.*

— Para começar, é preciso notar que os antissemitas também são frequentemente racistas. O drama dos palestinos, que são árabes, não os comove de maneira especial. Existe um forte sentimento racista antiárabe na França desde os anos 1970, onde a guerra da Argélia deixou vestígios e onde trabalha uma mão de obra imigrada da África do Norte, explorada, a qual muitos desprezam e cujas opiniões não são ouvidas.

---

8 Termo usado para fazer referência aos cidadãos franceses que viveram no norte da África Francesa, notadamente na Argélia. (N.T.)

Em seguida, àquela época, a luta dos palestinos é amplamente associada à imagem do terrorismo internacional, um terrorismo que causa repulsa e que é, ele mesmo, antissemita. Em Munique, durante os Jogos Olímpicos de 1972, um comando palestino que se intitula "Setembro Negro" faz atletas israelenses de reféns e assassina alguns deles, um crime selvagem que provoca forte reprovação em todo o mundo.

Às vezes, também, são grupos palestinos mais ou menos patrocinados por Estados árabes que agem em nome dos palestinos de uma maneira nitidamente antissemita. Você provavelmente ouviu falar de Carlos, o terrorista de nacionalidade venezuelana, hoje preso (seu verdadeiro nome é Illich Ramirez Sanchez). Ele dirigia um grupelho terrorista, a Frente Popular de Libertação da Palestina - Operações Externas, cujas proezas, assassinatos, atentados e prisão de reféns trazem a marca do ódio a Israel, mas também aos judeus, em geral.

E, quando uma bomba colocada na sacola de uma motocicleta, em frente à sinagoga da rua Copernique, em Paris, no dia três de outubro de 1980, causa quatro mortes e dez vezes mais feridos, uma mobilização formidável (duzentas mil pessoas desfilam em Paris entre as avenidas Nation e République no dia sete de outubro) marca o repúdio ao antissemitismo. A opinião pública está então convencida de que o atentado é um feito da extrema-direita francesa, um grupo muito reduzido. Somente mais tarde se saberá que os autores vêm do Oriente Médio. O mesmo acontece com o restaurante judaico Goldenberg, na rua des Rosiers, em Paris, em agosto de 1982.

— *E o que acontece para que a imagem de Israel mude?*

— Em junho de 1982, o exército israelense intervém no Líbano para acabar com os ataques palestinos contra Israel que partiam daquele país. A operação leva à saída de Yasser Arafat, o líder palestino, que deixa Beirute com suas tropas para se instalar na Tunísia. No entanto, ela é catastrófica para a imagem de Israel, que se recusa a obedecer às resoluções da ONU que exigem sua retirada imediata e incondicional do Líbano. Ademais, o exército israelense não interfere e, possivelmente, é cúmplice dos terríveis massacres de refugiados palestinos cometidos pelas milícias libanesas (as Falanges Cristãs) nos campos de Sabra e Chatila. Segundo estimativas, o número de mortos oscila entre algumas centenas e alguns milhares. Essa barbárie inaugura, especialmente na França, um desapego massivo com relação a Israel.

Os israelenses começam a ser percebidos como se estivessem impondo um destino injusto aos palestinos. Lançando-se em 1987 na Intifada, a "guerra das pedras", uma revolta popular que surgiu no seio dos territórios ocupados por Israel a partir de 1967, os palestinos ganham crescente simpatia. Nesse combate desigual, as imagens da Guerra dos Seis Dias se invertem. Desta vez são os palestinos que figuram como o fraco Davi, armados apenas com suas pedras contra Golias — o exército israelense.

— *Mas como passar da crítica a Israel ao antissemitismo?*
— Desde os anos 1980 a crítica contra Israel se mostra cada vez mais pulsante e assume frequentemente um tom claramente antissemita. Ela se denomina a cada momento mais "antissionista" e se volta contra a própria existência de um Estado que, entretanto, é reconhecido pela ONU. O conflito israel-palestino e as tensões no Oriente Médio se projetam sobre outras cenas e relançam o antissemitismo, particularmente em países com grande população judaica, a começar pela França, mas não apenas.

— *Não apenas?*
— Por exemplo, na Argentina, por duas vezes, em 1992 e 1994, atentados terríveis fazem numerosas mortes — o primeiro contra a embaixada de Israel, o segundo tendo como alvo uma construção ocupada pela comunidade judaica de Buenos Aires. Em ambos os casos, é possível que os autores sejam emanações do Irã ou do Hezbollah libanês, aliado do Irã, um país que desenvolve, desde a revolução islâmica de 1979, uma propaganda antissemita e violentamente antissionista.

— *Com frequência eu ouço dizer que é a mesma coisa com os judeus de Israel.*

— O amálgama é constante, inclusive longe do Oriente Médio. Como consequência, mais a imagem de Israel é vista como negativa, ou contestada, mais a hostilidade face a Israel se reforça. Os antissemitas não são os únicos a carregarem a responsabilidade. Positiva ou negativamente o destino dos judeus da diáspora e os de Israel são com frequência associados no imaginário das pessoas.

Em 1967, a maioria dos judeus da diáspora que eram antissionistas deixou de sê-lo. Eles temeram muito pelo Estado judeu e sentiram sua eventual destruição como uma catástrofe. Para os homens e mulheres que viveram a Segunda Guerra Mundial, que se lembram de que os candidatos ao exílio foram reprimidos por numerosos países, a existência de um Estado judeu poderia ser percebida como um refúgio no caso de o horror recomeçar.

— *Entretanto, é possível ter o direito de criticar Israel sem ser tratado como antissemita?*
— Claro, e os próprios israelenses não deixam de fazê-lo. Israel é uma democracia e lá a mídia aponta a existência de tensões, debates e críticas às vezes virulentas em relação ao governo. Todo o pessoal de lá não é favorável, por exemplo, à política de colonização que consiste em construir assentamentos nos territórios palestinos ocupados. E eu posso dizer que, quando da operação militar de 1982 no Líbano, houve forte oposição e até mes-

mo um movimento muito crítico que se chamou "Paz Agora".

A crítica é evidentemente legítima. O problema surge quando há tomadas de posição em que claramente o antissemitismo e o antissionismo são colocados como uma mesma e única coisa, sem que se saiba bem o que vem primeiro: o ódio aos judeus ou aquele dirigido ao Estado de Israel.

– *Algumas vezes, tem-se a impressão de que toda crítica é acusada de ser forçosamente antissemita.*

– Você tem razão, aqueles que criticam Israel são às vezes rapidamente suspeitos de confundirem crítica a Israel com ódio aos judeus. Há instituições, mas também intelectuais ou jornalistas judeus, que são muito vigilantes com relação às críticas contra Israel, as quais eles excessivamente derrubam, e que desconfiam ou acusam de antissemitismo os que professam opiniões que simplesmente realçam as críticas.

A fronteira não seria, portanto, tão difícil de delinear: criticar Israel é uma coisa, deduzir a partir de sua política e de sua própria existência que elas traduzem o caráter maléfico dos judeus, enquanto tais, é outra.

Mas, quando se trata do conflito israel-palestino, as paixões são exacerbadas e os propósitos podem se desviar. Por exemplo, alguns denunciam como antissemitas os que dizem que os israelenses se comportam com os palestinos como os piores colonizadores, até mesmo como nazis, ou que consideram que "o sionismo comporta uma parte de racismo". Outros veem nisso simplesmente uma retórica polêmica. Tudo depende do contexto, da precisão com que são conduzidas. Os propósitos mesmos não são sempre de uma nitidez que permite decidir sem hesitação.

No entanto, há outro problema. Você notou que se diz com frequência "antissionista" mais do que "anti-israelense". Existe aí um risco de confusão. A palavra "sionismo" remete ao projeto, personificado particularmente por Herzl, de criar um Estado para os judeus. Ser antissionista significava se opor ao projeto, mas se transformou em oposição à própria natureza desse Estado, e em posições mais radicais, até recusar sua existência. Uma existência que, eu lembro a você, foi aprovada pelas Nações Unidas por uma decisão de 1947.

— *Fala-se muito do Crif*[9]. *De acordo com ele, Israel e os judeus devem sempre ser solidários?*

Na França, o Crif convida os judeus a sustentarem incondicionalmente o Estado de Israel. Aqueles que misturam seu ódio aos judeus com a hostilidade contra Israel se apoderam desse discurso.

---

9 Sigla em francês para Conselho Representativo das Instituições Judaicas na França. (N.T.)

O ESTADO DE ISRAEL, OS JUDEUS E OS ANTISSEMITAS

— *Mas, se Israel é um Estado judeu, um Estado para os judeus, e não para os outros, não é um Estado racista? Se eu não sou judia, posso me tornar cidadã israelense?*

— O Estado de Israel proclamou a Lei do Retorno: todo judeu que assim o desejar pode vir para Israel, sem condições, e se tornar automaticamente cidadão, ao passo que os não judeus devem pedir uma autorização. E quem é judeu? O critério alegado mais correntemente é muito simples: alguém é judeu quando sua mãe é judia. No entanto, é possível se converter ao judaísmo, se tornar judeu, mesmo que seja um percurso difícil.

É verdade que aí existe um problema: o filho de pai judeu e de mãe que não é judia não é judeu, contrariamente àquele que é filho de mãe judia e de pai que não o é. Pessoalmente, eu tenho dificuldade de aceitar esse princípio, que condiciona direitos e o acesso pleno e total à cidadania.

Nem todos os cidadãos de Israel são judeus, e os árabes israelenses constituem em torno de vinte por cento da população. São na maioria palestinos, mesmo que haja também drusos e beduínos. Na teoria eles têm os mesmos direitos, mas na realidade sofrem discriminações e são, com frequência, suspeitos de fazer o jogo palestino contra o Estado de Israel. Eles são sistematicamente dispensados do serviço militar.

— *Por que as discussões sobre a situação no Oriente Médio são tão passionais na França?*
— Nós temos a ver de várias maneiras. De um lado, tudo que se refere a Israel interessa aos franceses por razões históricas: Israel é o berço do cristianismo, a França é uma potência geopolítica que desempenha um papel nesta parte do mundo e os judeus da França acompanham com paixão a atualidade no Oriente Médio. E, de outro lado, a França conta com uma importante população de migrantes, filhos de migrantes de origem árabe e/ou muçulmana, que se sentem profundamente preocupados com tudo que acontece no Oriente Médio.

Sexto encontro

RETOMANDO A SHOAH, O NEGACIONISMO E O *SHOAH BUSINESS*

— *Quando se começou a falar muito sobre a Shoah?*
— Na verdade, tanto nos Estados Unidos quanto na França, para tomar dois países ocidentais onde vivem mais judeus, o genocídio, até fins dos anos 1950, foi percebido apenas como um aspecto de uma guerra que fez muito mais vítimas. O caráter especificamente antissemita da ação nazista é mais ou menos ocultado, embora salte aos olhos: basta ler *Mein Kampf* para se convencer. Como será dito mais tarde, a Shoah está pouco presente no debate público no início, e os próprios judeus não tentam introduzi-la. Frequentemente, os sobreviventes sentem vontade de falar, mas não são muito escutados, os acham aborrecidos. Estamos em plena Guerra Fria e, se o assunto é totalitarismo, pensa-se antes de tudo naquele que a União Soviética representa.

Vai-se começar a realmente falar sobre a destruição dos judeus da Europa apenas nos anos 1960, em seguida ao processo Eichmann. Além disso, a palavra "Holocausto", usada nos anos 1960, se firma apenas em fins dos anos 1970, e a "Shoah", em uso em Israel, é popularizada somente nos anos 1980. Em 1985, o documentário de Claude Lanzmann sobre a destruição dos judeus pelos nazis, que leva esse nome, tem um impacto considerável e contribui para popularizar o termo.

Nos Estados Unidos, a série americana *Holocaust*, difundida pela televisão em 1978, mostra que o país inteiro percebe o que tinha sido a barbárie nazista. Na França, é possível dali em diante lembrar o papel nefasto do governo de Vichy e seu antissemitismo. Filmes e o trabalho de historiadores fazem o genocídio penetrar na consciência coletiva.

Essa tomada de consciência é então um formidável escudo, ela carrega uma barreira contra toda expressão mais forte de antissemitismo. No entanto, ela é acompanhada, a partir dos anos 1970, de uma ofensiva negacionista que recusa o antissemitismo sistemático dos nazis contra os judeus.

– *Dizer que há dúvidas sobre a realidade da Shoah, ou que ela não aconteceu, é ser antissemita?*
– Sim. Estou respondendo da maneira mais firme. Uns dizem que ela não aconteceu. Outros, que ela não foi nem massiva nem sistemática. Alguns afir-

mam que as câmaras de gás jamais existiram, a não ser na imaginação dos judeus.

O negacionismo não é próprio apenas da Shoah. Ele acompanha todos os genocídios, desde aquele dos armênios ao dos tutsi, em Ruanda. Os criminosos se esforçam, primeiramente, em apagar os traços de seus crimes e negar sua existência. Depois, outros os substituem por razões políticas.

Na França, encontram-se os primeiros frutos do negacionismo nos anos 1960, nos escritos do antigo deputado socialista Paul Rassinier, anticomunista ardente, ex-deportado, que seguiu um estranho percurso. Ele quis minimizar a barbárie nazista para sublinhar melhor os horrores do bolchevismo. Afirmava que o extermínio dos judeus era uma invenção do Estado de Israel para arrancar sempre mais dinheiro dos alemães a título de indenização às vítimas judias do nazismo. Mas essa elucubração não encontrou qualquer eco.

Em 1978, o tema entra em debate público quando o antigo comissário de Negócios Judaicos de Vichy, Louis Darquier de Pellepoix, então refugiado na Espanha, explica ao *L'Express* que "em Auschwitz o gás era usado apenas para os piolhos". Dois anos mais tarde, um universitário especialista em literatura, Robert Faurisson, interrogado na rádio Europe 1, insiste na tese. Aqui eu cito sua conversa: "O suposto massacre dos judeus e a suposta existência de câmaras de gás apenas formam uma única e mesma vigarice político-financeira da qual os principais beneficiários são o Estado de Israel e o movimento sionista internacional, e as principais vítimas são o povo alemão, mas não seus dirigentes, e o povo palestino". A argumentação junta o velho tema dos judeus ávidos por dinheiro, o do complô mundial renomeado "Movimento Sionista Universal" e a causa palestina.

– *Mas isto é delirante!*
– Completamente. Só que a partir disso, uma mecânica negacionista se instala, com apoio de militantes de ultraesquerda, a fiança – provisória – do grande linguista americano Noam Chomsky e, mais tarde, a entrada na luta de um velho dirigente comunista, um filósofo à época muito conhecido, Roger Garaudy, que denuncia a "lavagem cerebral" daqueles que falam da Shoah. Garaudy recebe o apoio – preste atenção! – do abade Pierre, que diziam permanecer marcado pelo velho antijudaísmo cristão, o que ele contestava. O abade Pierre deu para trás assim que a polêmica foi lançada, sobretudo em função da imagem de um homem que se perdia em um apoio ideológico que ele não dominava.

– *O que fez a ultraesquerda sobre isso?*
– A solidariedade com a causa palestina pode explicar essa deriva, assim como os velhos temas antissemitas dos socialistas do século XIX: a identificação dos judeus com o capitalismo e o dinheiro. Em

seguida, o negacionismo será retomado, particularmente no Oriente Médio, onde será uma ferramenta de propaganda.

— *E a extrema-direita lucra com esse tema?*
— Em meados dos anos 1980, a Frente Nacional, que não é mais um grupelho, mas um partido, difunde uma palavra antissemita que então encontra um espaço político. Jean-Marie Le Pen ataca, designando pelos nomes, vários jornalistas que tinham em comum o fato de serem judeus e que seriam os "mentirosos da imprensa deste país", a "vergonha da profissão". Em 1985, quando é lançado o filme *Shoah*, do qual toda a imprensa fala abundantemente, ele diz que as câmaras de gás são apenas "um detalhe da Segunda Guerra Mundial" e, um ano mais tarde, ele se vale de um mau jogo de palavras a propósito do ministro Durafour: *Durafour crématoire*[10].

— *Por que tais provocações?*
— Para melhor se fazer ouvir: o ódio aos judeus precisa derrubar a proteção que até então a evocação da Shoah materializava. Também é para derrubar essa proteção que, desde os anos 1990, o antissemitismo encontra um novo argumento na denúncia dos *busi-*

---

10 Durafour crematório. "Four" é a palavra francesa para "forno", o que induz a uma referência aos fornos crematórios dos campos da morte da Segunda Guerra Mundial. (N.T.)

ness da Shoah, ou seja, dos negócios da Shoah, ou da "indústria do Holocausto".

– *O que isso quer dizer, exatamente?*
– É a ideia de que os judeus tiram do genocídio lucros econômicos, mas também políticos e simbólicos, o que lembra seu suposto gosto desmesurado por dinheiro, sua cupidez a toda prova, uma vez que eles fariam do Holocausto uma indústria muito rentável. E isso evidentemente realça um discurso antissemita.

A tese do *Shoah business* encontrou certo eco na medida em que, depois da queda do muro de Berlim, foram muito questionadas, no debate público, as espoliações dos judeus durante a guerra – os judeus que se encontravam atrás da cortina de ferro não foram indenizados – e de bens deserdados – por exemplo, o dinheiro dos judeus assassinados permanece nos bancos suíços.

O que fazer quando alguns dos bens espoliados estão em museus, outros com particulares que os adquiriram com toda boa-fé e se, para uma parte desses bens, não é possível encontrar aqueles que têm o direito a sua propriedade? Esse debate já foi muito intenso, agora está quase regulamentado. Na França, a Fundação para a Memória da Shoah foi criada em 2000 com um capital constituído por fundos que foram espoliados durante a guerra e dos quais não foi possível encontrar herdeiros – ou aqueles que tinham o direito sumiram.

— *E tudo é falso nessas acusações do* Shoah business*?*

— Como acontece frequentemente, é preciso saber traçar a linha que separa uma crítica que merece exame e o debate de propostas que destacam pura e simplesmente o antissemitismo. É verdade que a exposição da Shoah pode ser acompanhada de abusos. É o que denunciava de maneira deliberadamente polêmica o norte-americano
Norbert Finkelstein, ele próprio filho de sobreviventes, quando acusou, em 2000, uma "indústria do Holocausto", que puncionaria dinheiro da Europa notadamente para proveito de organizações judaicas americanas e que usaria a Shoah como instrumento em benefício do Estado de Israel.

— *Ouve-se com frequência dizer que "paga-se pelos judeus", mas não pelos descendentes de escravos. O que foi "pago" aos judeus?*

— Depois da guerra, a Alemanha pagou indenizações aos Estados envolvidos pelos bens espoliados e procedeu a restituições. Indenizações individuais foram acordadas com as vítimas do nazismo quando eram apátridas e não assumidas por um Estado. Foi o caso, na França, de numerosos migrantes judeus vindos nos anos 1920 ou 1930. As organizações judaicas em Israel, que acolheu meio milhão de refugiados, receberam indenizações. O Estado francês paga pensões aos sobreviventes das deportações como vítimas de guerra, e aos órfãos.

Você tem razão, não acontece o mesmo para os descendentes de escravos e de vítimas do tráfico negreiro — é uma questão que está sendo colocada hoje em dia.

Acontece que o discurso antissemita se renovou nos anos 1980 e 1990, sem, entretanto, renunciar a seus temas clássicos, herdados das ideologias de extrema-direita e da ideia cristã de povo deicida. Haverá diversas expressões neste sentido nos anos seguintes e até hoje, inclusive fora da Frente Nacional e das extremas-direitas.

— *Por exemplo?*

— Um escritor, Renaud Camus, deplora, em seu "diário" de 1994, que uma emissão da rádio France Culture tenha sido mantida por judeus que sistematicamente se anunciariam como tais. Ou mais ainda: o *Le Parisien* traz palavras cruzadas nas quais as soluções são "genocidas" para "matadouros no atacado" ou "*youpine*" para "judia".

— *Youpine?*

— É o feminino de "*youpin*", um adjetivo usado pelos antissemitas para designar os judeus.

Sétimo encontro

O NOVO ANTISSEMITISMO, UM NOVO ANTISSEMITISMO GLOBAL

— *Por que alguns franceses oriundos da imigração, os jovens em particular, parecem seduzidos pelos discursos antissemitas?*

— A população imigrada originária da África do Norte transformou-se profundamente nos anos 1950 ou 1960. Em primeiro lugar, tratava-se de uma imigração masculina: homens sós que vinham para a França para ocupar empregos não qualificados, como trabalhadores nas fábricas. Eles buscavam economizar o máximo possível de dinheiro antes de retornar ao seu país. A partir de meados dos anos 1970, os imigrantes puderam se beneficiar do reagrupamento familiar: eles geralmente escolheram permanecer na França, trazer mulheres e crianças, ou criar uma família no local. No mesmo momento, a indústria deixou de recorrer massivamente a essa mão de obra. Os imigrantes são, então, mais do que apenas desempregados, atingidos em cheio pela crise, submetidos ao racismo e à discriminação. E eles povoam massivamente alguns bairros de habitação popular que podem, em casos extremos, virar guetos.

— *Eu não vejo a ligação com o antissemitismo.*
— É muito simples. No seio dessas populações, duas lógicas podem conduzir ao ódio contra os judeus.

A primeira é a identificação com os palestinos: sob essa perspectiva, essas pessoas oriundas da imigração são amplamente excluídas, discriminadas, submetidas a controles policiais devido à aparência, mantidas na pobreza. Elas fazem ligação com os palestinos, confinados em certos territórios, mantidos à distância por um exército detestado, humilhados, submetidos a controles por aqueles que podem entrar em Israel ou que lá vivem.

A segunda é a sedução que o islamismo radical pode exercer no seio de populações muçulmanas. Alguns são atraídos pelo discurso que afirma que um combate sem misericórdia opõe o Ocidente, sob hegemonia dos Estados Unidos, e o Islã. Neste combate, os judeus teriam um papel decisivo nos Estados Unidos e em Israel, que existe como a ponta de lança do tão detestado Ocidente no Oriente Médio.

O NOVO ANTISSEMITISMO, UM NOVO ANTISSEMITISMO GLOBAL

Na França e em outras partes o novo antissemitismo é sustentado por migrantes, normalmente pobres e discriminados. É uma imensa mudança, e até paradoxal: eles se juntam, no ódio aos judeus, aos franceses de extrema-direita ou nacionalistas que, por outros motivos, detestam os árabes e desprezam os negros.

Eles também se juntam, ideologicamente, a um certo esquerdismo do qual já lhe falei, que critica Israel de maneira radical, que se diz "antissionista" e denuncia a dominação do tipo colonial sofrida pelos palestinos, bem como a política de Israel em relação a eles. Esse esquerdismo vira antissemitismo quando não distingue mais o que é judeu e o que é Israel, e enxerga nesse conjunto indiferenciado o mal absoluto.

— *São eles que espalham a ideia de que os atentados de onze de setembro de 2001 são um complô do Mossad e da CIA?*

— Esta nova versão da conspiração judaica mundial é uma história que dá para ouvir e dormir em pé, de tão inverossímil. O principal organizador dos atentados, Osama Bin Laden, líder da Al Qaeda, um antissemita furioso que reivindicou a autoria dos ataques, teria sido então manipulado pelos judeus! Bin Laden e Al Qaeda caíram na armadilha dos judeus! Ou melhor, foram instrumentalizados pelos judeus! O boato e a paranoia foram levados muito longe aqui.

— *Existe uma convergência entre todas as formas de antissemitismo: de extrema-direita, de extrema-esquerda e de descendentes de imigrantes?*

— No início dos anos 2000, quando houve uma onda de antissemitismo, com ações relativamente graves, notadamente agressões contra judeus, grafites em paredes e muros, além de degradação de túmulos em cemitérios judeus, alguns observadores pensaram que estava em curso um encontro dos islamitas com correntes radicais do antissionismo de esquerda. Eles até deram um nome a esse encontro, ao falar em "islamo-progressismo".

Na realidade não existem, ou existem de maneira muito inexpressiva. Esses três mundos que você cita se comunicam muito pouco. No entanto, eles convergem quando se trata de professar um antissemitismo que é, ao mesmo tempo, antissionismo.

— *Existe o direito de ter propósitos antissemitas na França?*

— O antissemitismo, assim como o racismo, é punido por lei, e regularmente nós temos processos em que um militante, um escritor, um editor, um jornalista ou um jornal, são perseguidos devido a suas propostas ou a seus escritos. Existe um arsenal jurídico responsável por lutar contra o antissemitismo. Por exemplo, a partir da Lei Gayssot, de 1990, o negacionismo é passível de ir aos tribunais. Uma lei de 2003 prevê que uma "infração cometida acompanhada ou seguida de propostas, escritos, imagens, objetos ou atos" de caráter antissemita (mas também racista e xenófobo) leva a sanções mais pesadas devido a essa "circunstância agravante".

– *Quando você explica o que é o antissemitismo é quase sempre o situando em um ou outro país. Mas, ao final, é um fenômeno mundial.*

– Com certeza. Há alguns anos eu tive em mãos um dossiê de mais ou menos mil páginas composto de um jornal *on-line* – www.procheorient.info – que não existe mais. Esse dossiê trazia recortes de imprensa e extratos do conteúdo de sites antissemitas que tinham sido criados no Oriente Médio. Ali tinha de tudo. Os judeus eram acusados de crimes rituais, por exemplo, para fins de depuração étnica e destruição do povo palestino. Isso é a contribuição cristã medieval. Havia também negacionismo, uma contribuição bem francesa, com a afirmação, em contraponto de que um "verdadeiro holocausto" é cometido contra o povo palestino. Os "Protocolos dos Sábios do Sião" são amplamente lembrados – esta é a contribuição da Rússia czarista – e é confirmada a existência de uma organização secreta e diabólica, composta de "trezentos diabos ou representantes de Satã", uma variante que combina a obsessão da conspiração, do tipo "Protocolos", e o velho antijudaísmo religioso. Os judeus seriam inclinados a uma violência extrema, ao mesmo tempo em que seriam covardes e hipócritas, além de traidores natos. Eles controlariam a mídia, encarnando a dominação dos Estados Unidos sobre o mundo, enquanto também comandariam secretamente os próprios Estados Unidos, dos quais preparariam a falência, tramando para dirigir o mundo inteiro e levá-lo à decadência. O Holocausto seria um fundo de comércio "lucrativo" – uma ideia que vem dos Estados Unidos, já lhe falei do livro de Finkelstein.

– *Tudo é falso nessas afirmações extravagantes!*
– Quase tudo, mas esses discursos são semeádos por parcelas de verdade, o que pode torná-los aceitáveis aos olhos de alguns. O ódio algumas vezes se apoia em tais parcelas e então as distorce. Por exemplo, o dossiê apresenta o lobby judaico Aipac, que defende os interesses de Israel nos Estados Unidos, como ilustração da penhora maléfica dos judeus sobre a América. Ora, esse lobby não é uma invenção, ele existe bem e belo, é influente. Mas nos Estados Unidos os lobbies são uma legião, existe também um lobbi palestino, e eles se inscrevem no jogo normal e legal das instituições políticas. Há mais de dez mil lóbis registrados no Congresso, em Washington. São grupos que exercem pressão em todos os setores da a vida econômica, cultural, social e política, e muitos mais existem, não menos legais, sem serem registrados. Uma grande empresa, por exemplo, apelará a um ou a vários lobbies para fazer valer seus interesses. Portanto, evocar a Aippac é evocar não

uma ação subterrânea, ilegal, perniciosa, prova da malignidade dos judeus, mas um lobby, como milhares de outros, que se esforça para promover seu ponto de vista junto a atores políticos e à administração americana.

O antissemitismo é totalmente incoerente, mas isso não embaraça jamais os antissemitas. Tudo encontra seu lugar no discurso antissemita, o ódio aos judeus se alimenta de argumentos contraditórios. E esses argumentos, que são de procedências diversas, são amalgamados e circulam em escala mundial, você tem razão.

— *Essa circulação global é organizada?*

— Não necessariamente, mas pode ser, por grupelhos de extrema-direita ou islamitas, por exemplo. Ela funciona graças às tecnologias modernas da informação e da comunicação, a começar pela internet, as redes sociais, os telefones móveis celulares, ou as parabólicas, que permitem captar emissoras de televisão do mundo inteiro. Não é difícil hoje em dia conseguir os "Protocolos dos Sábios do Sião" ou *Mein Kampf*, ou ainda acessar filmes e programas de televisão profundamente antissemitas. Eles não faltam, difundidos notadamente a partir de certos países do Oriente Médio, como Irã. Tudo isso pode alimentar de longe o discurso do ódio, sem o menor risco para aqueles que vão à pesca desse tipo de programa na internet.

— *Mas não é possível interditar ou impedir essa circulação?*

— É quase impossível, em todo caso muito difícil, e isto se choca com um valor maior, e que me parece estar muito em pauta, sobretudo nas gerações mais jovens: a liberdade de expressão. Como proibir ou controlar a internet, uma vez que ela é também uma ferramenta formidável de liberdade e de emancipação? Como dizer: vamos impedir a circulação de discursos antissemitas e apoiar aqueles que lutam contra um regime autoritário ou uma ditadura que justamente tenta privar as pessoas de acesso à internet?

Por um lado, a internet facilita a banalização das transgressões, suas descriminalizações, tornando possível a circulação de todos os indicadores de discursos sobre o ódio, inclusive sob formas que se dizem humorísticas; por outro, se inscrevendo em uma cultura de liberdade de expressão sem limites, que autoriza dizer tudo. O antissemitismo, proibido no espaço público, tem na internet direitos legais e deixa de ser um tabu, deixa de ser considerado criminoso.

Para muitos, até hoje o antissemitismo é uma opinião como outra. É possível rir da Shoah, dizer que as câmaras de gás não existiram, e isto não tem maiores consequências. O mais urgente é educar, armar os espíritos para enfrentar esse antissemitismo que circula no espaço digital.

O NOVO ANTISSEMITISMO, UM NOVO ANTISSEMITISMO GLOBAL

— *Você quer dizer que a escola tem um papel importante a representar?*

— Claro! Em que outro lugar se poderiam moldar os espíritos para desmontar todas as abominações, as extravagâncias irracionais que circulam? Para começar, é preciso que a escola esteja de acordo com sua missão e não deixe nenhum espaço para o antissemitismo nem para nenhuma forma de racismo.

Constata-se que crianças judias são algumas vezes ameaçadas nas escolas, que as ofensas antissemitas são frequentes, que grafitis do gênero "Morte aos judeus!", ou suásticas, símbolo do nazismo, às vezes degradam as paredes. Sobre isto, é preciso ser absolutamente inflexível, assim como sobre todas as formas de racismo ou sexismo.

— *Mas diz-se que há aulas em que os professores não podem ensinar sobre a Shoah ou evocar Israel sem que haja uma barulheira, incidentes.*

— O que com frequência se censura na escola pública, no colégio, no liceu, é falar amplamente do genocídio dos judeus sem dar a mesma importância a outros horrores históricos. Em teoria, a escola pública recebe alunos que desde a entrada devem esquecer suas particularidades sociais ou culturais para aprender como os outros, ao mesmo tempo em que os outros. Mas, se você é de origem africana, por exemplo, é possível que você ouça outra coisa do que se diz sobre a colonização francesa. Se você é antilhano, talvez você queria que se trate melhor da escravidão, e que sejam lembrados aspectos da época de Napoleão I que não estão forçosamente nos manuais — para um haitiano, ele foi um criminoso pior que Hitler! Nós entramos desde os anos 1970 na era da concorrência entre vítimas, e cada grupo demanda, se for o caso, que se reconheça que no passado ele sofreu um genocídio, uma escravidão, um tráfico negreiro ou violência de massa.

Digamos que, para os que ensinam, algumas vezes é difícil afrontar serenamente tais riscos. Como ensinar a história se não há mais história comum e se cada um reivindica a sua própria?

— *Isto quer dizer que cada um gostaria que se falasse dos sofrimentos padecidos por seus ancestrais? Os judeus não têm o monopólio dos sofrimentos!*

— Não, com certeza. Mas é um argumento engraçado acusar os judeus de quererem se arrogar o monopólio do sofrimento e fazer de tudo para que não se fale de outras experiências a não ser as suas. O antissemitismo não está tão longe e aqueles que desenvolvem este tipo de discurso querem fazer valer a concorrência para tentar que se oponham entre si. É preciso evitar essa armadilha.

Às vezes ouve-se dizer que só haveria espaço para os judeus e a Shoah na escola. Mas basta ver os programas do curso secundário para perceber que não é assim, e que há também questões sobre a escravidão, as guerras coloniais e a descolonização. Fora de Jean-Marie Le Pen, quem fala da Shoah como um "detalhe" da Segunda Guerra Mundial? Quem pode dizer que foi um acontecimento sem importância?

— *Diz-se algumas vezes que os judeus organizaram o tráfico de negros. É verdade?*
— É uma mentira a mais. O antissemitismo progride quando se acusam os judeus de terem contribuído como tal e massivamente para tais abominações. Na França, é por tais acusações que se esboçou recentemente o que é chamado às vezes de "antissemitismo negro". É um fenômeno forte nos Estados Unidos há quase um século, onde, já em 1920, foi lançada uma campanha apelando aos negros para boicotarem os comércios judaicos: "Compre negro!".

Este antissemitismo entre os negros americanos encontrou um prolongamento com a afirmação, que data dos anos 1980, de que os judeus teriam desempenhado um papel determinante no tráfico negreiro e no sistema escravagista. Posta em circulação por um universitário nova-iorquino, Leonard Jeffries, repetida pela Nação do Islã — um movimento comunitário negro e muçulmano dirigido por Louis Farrakhan —, essa ideia chegou à França apesar de as principais figuras do mundo negro americano, como Henry Louis Gates, a terem rejeitado por seu caráter histórico fantástico e profundamente antissemita.

— *Você pensa em Dieudonné*[11]*?*

— Efetivamente, ele contribuiu para importar essa ideia para a França no início dos anos 2000. O jogo sobre a concorrência das vítimas fez parte do sucesso de Dieudonné, esse humorista cujos espetáculos, desde o início dos anos 2000, atraem a simpatia de uma população que não tem mais nada a ver com o antissemitismo clássico, nacionalista, cristão, de extrema-direita, com risco de se combinar com ele: pessoas de origem subsaarianas ou norte-africana, às vezes também das Antilhas, podem se reencontrar no ódio àqueles judeus que teriam participado de sua desgraça histórica e que hoje não gostariam que se falasse desse passado, o que é uma construção falaciosa.

— *Me parece que Jean-Marie Le Pen e a Frente Nacional apreciam Dieudonné. Eu mal os vejo denunciar a colonização!*

— Um não impede o outro. O ódio aos judeus aproxima indivíduos e grupos que, por outros motivos, podem se separar.

---

11 Diudonné M'Bala é um ator e ativista político francês negro. (N.T.)

Oitavo encontro

COMO ESTÁ O ANTISSEMITISMO HOJE? É POSSÍVEL MEDI-LO?

– *Você pode me dizer quantas pessoas são antissemitas? É um fenômeno de massas ou marginal?*

– Há várias medidas possíveis de antissemitismo, e todas têm seus limites. Pode haver interesse pelos atos de violência, pelos preconceitos, as discriminações, as profanações de locais religiosos ou cemitérios etc. Eu vou dizer o que acontece na França.

Primeiro, a medição da violência. Houve grande progresso a esse respeito depois do início dos anos 2000, quando aconteceu uma explosão de atos antissemitas relacionados à Segunda Intifada, a revolta das pedras, de setembro de 2000, que chamou novamente a atenção para a questão palestina e angariou fortes simpatias no seio da juventude procedente da imigração magrebina: foram cometidas agressões verbais e físicas contra pessoas, jatos de engenhos incendiários, degradação de lugares institucionais e de escolas privadas judaicas, locais de culto, grafites etc — sem falar do que circula na internet.

Hoje, o ministério do Interior e as instituições judaicas publicam cifras a cada ano. Em grossos números, eles indicam algumas centenas de "fatos" com alguns anos de ligeira queda e outros de ligeira alta. Sempre, depois do pico do início dos anos 2000, as violências acontecem relativamente em menores números. Mas algumas são particularmente graves. Eu lhe lembro das duas mais dramáticas.

A primeira, em 2006, foi o assassinato de Ilan Halimi, um jovem raptado pela "gangue dos bárbaros", dirigida por Youssouf Fofana, sequestrado nas piores condições porque era judeu (eles achavam que poderiam tirar dinheiro da família ou da comunidade judaica). Halimi foi torturado e finalmente deixado para morrer por seus raptores, que não haviam sequer tocado em qualquer resgate.

O segundo acontecimento dramático é a morte em Toulouse, em março de 2012, de três crianças e um professor judeus em frente à sua escola. O criminoso, Mohamed Merah, era um islamista radical. Isto nos faz lembrar, de passagem, que o terrorismo islamista é visceralmente, obsessivamente, antissemita.

Para violências menos graves, é preciso ser prudente: de um lado, elas não são sempre contabilizadas por falta de queixas formais, e, de outro lado, uma violência atingindo um judeu não é necessariamente antissemita. Se uma senhora judia tem sua bolsa arrancada em uma rua de Sarcelles, cidade onde existe uma comunidade judaica forte, isto é um ato antissemita ou simplesmente um ato vil, um roubo? É preciso saber mais antes de decidir.

– *Você falou muito de preconceitos. É possível medi-los?*
– Apenas até certo ponto. Existem sondagens que consistem em indagar a amostras representativas, com perguntas do gênero: "Você concorda com a afirmação: os judeus são franceses como os outros?". Essas sondagens confirmam o que já lhe disse: o Holocausto não é mais um tabu, como no passado. Elas mostram que ainda existe um antissemitismo clássico, sobretudo entre as pessoas mais idosas, em lugares de pouca instrução, populares, que votam mais à direita do que à esquerda.

Mas as sondagens não são uma ferramenta muito conclusiva. Não se sabe – primeira interpretação possível – se as pessoas indagadas são mais (ou menos) antissemitas, ou – segunda interpretação possível – se elas estão mais (ou menos) dispostas a falar sobre essa informação. E as sondagens não permitem ter cifras precisas porque elas são feitas em cima de amostras muito pequenas, em geral na ordem de mil pessoas, para que se possa saber o que acontece no seio de grupos limitados, sociais ou culturais. Por exemplo, os imigrantes originados do

Magreb, ou os antilhanos, vivendo em metrópoles. Porque o novo antissemitismo, que diz respeito a uma porcentagem limitada da população, é difícil de avaliar, pelo menos por meio de sondagens.

No conjunto, são percentuais relativamente fracos que testemunham fortes preconceitos antissemitas. A França não é o pior exemplo. Sondagens na Espanha, na Hungria e na Polônia apresentam resultados mais inquietantes.

— *Consegue-se medir outra coisa além da violência e dos preconceitos?*

— Não se medem discriminações com relação aos judeus na França simplesmente porque elas praticamente não existem, ou não existem mais. Não é porque alguém é judeu que será mais difícil para ele do que para os outros morar, conseguir um emprego, entrar em um clube noturno, por exemplo, ou, mais ainda, ter direito a alimentação *kosher*[12] na prisão. Da mesma maneira, não há segregação, e, se eles às vezes se constituem em comunidades visíveis, como em Sarcelles, de que eu acabo de falar, ou em Crétail, a escolha é deles.

Um fenômeno singular e que já tem uma longa história se observa, em compensação, de maneira recorrente: as degradações de sepulturas. Elas acontecem com frequência em série, como se a notícia na

---

12 Comida que obedece às leis alimentares do judaísmo. (N.T.)

mídia de um primeiro caso desse ideias a outros para imitá-los. Na maioria dos casos elucidados na França, trata-se de jovens de extrema-direita, neonazistas ou *skinheads* que, por exemplo, desenham suásticas em túmulos judaicos. A Frente Nacional, apesar de seu apego a um velho antissemitismo, jamais encobre esse tipo de prática, e se queixa bastante de ter sido estigmatizada no episódio de Carpentras, quando um túmulo foi profanado e o cadáver de um judeu foi empalado em uma estaca. A abominação foi amplamente imputada à Frente e somente seis anos mais tarde soube-se a identidade dos autores, jovens neonazistas. Acontece também de túmulos muçulmanos já terem sido profanados.

De resto, é bem arriscado tentar quantificar o antissemitismo na França hoje. Como medir o que circula na internet, ou a maneira como, nas escolas, se exprimem injúrias de conteúdo antissemita, como aquela que lhe chocou e que está na origem de nossas conversas? É preciso, portanto, se proteger de afirmações muito precipitadas sobre a volta, o aumento ou, ao contrário, o declínio do fenômeno. Visto que é possível ter, por exemplo, mais preconceito e menos atos de violência ao longo de um ano em relação ao precedente, como então dizer que o fenômeno cresce, ou diminui?

Uma consequência dessa dificuldade de avaliar seriamente o antissemitismo faz com que, algumas vezes, haja excessos sobre o assunto. Foi o que revelou notadamente o caso de Maria, aquela jovem que montou, em julho de 2004, uma história totalmente falsa: ela contou ter sido levada violentamente para um ramal da rede ferroviária por um bando de antissemitas que rasgaram suas vestes e desenharam, com caneta de feltro, suásticas em sua barriga. Isto lhe valeu o apoio unânime da classe política, indo até o chefe de Estado, antes que o embuste fosse descoberto.

O que é certo é a renovação do antissemitismo, que faz com que, hoje em dia, se beirem e se misturem um velho fundo de antijudaísmo cristão; um antissemitismo clássico, nacionalista, de extrema-direita, de alguma maneira modernizado; o negacionismo e as acusações do *Shoah business*; outro mais de esquerda, anticapitalista; e um novo antissemitismo, antissionista, presente sobretudo no seio de populações largamente excluídas, dominadas ou desprezadas, bem como em alguns setores impregnados de ideologias esquerdistas, anticapitalistas e pró-palestinas.

– *É preciso se revoltar?*
– É preciso, sobretudo, estar vigilante, mas sem colocar os países no mesmo nível. Nos Estados Unidos e na França, onde vivem as mais importantes minorias judaicas da diáspora do mundo ocidental, ser judeu não expõe a graves riscos. Em vários países da Europa, notadamente na Hungria e na Romênia, a

ascensão das extremas-direitas nacionalistas e populistas traz consigo uma forte carga de antissemitismo. Ele é virulento, os preconceitos circulam em grande quantidade, mas os riscos físicos permanecem fracos. Desde a Perestroika, a partir de meados dos anos 1980, e depois com a explosão da URSS, os judeus deixam em massa a Rússia, a Ucrânia e a Bielorússia, com muita frequência para Israel, mais por razões econômicas do que pelo antissemitismo. Na maioria dos países do mundo árabe e muçulmano, os judeus emigraram, ou foram perseguidos, em geral devido a uma mistura de antissionismo e antissemitismo. Na América Latina o antissemitismo existe e assume ares globais, internacionais, na Argentina, com os atentados terroristas vindos do Oriente Médio, mas, no conjunto, isso não impede que os judeus se sintam em segurança.

Encontro final

TRÊS ÚLTIMAS PERGUNTAS

— *Ao fim de nossas conversas, tenho três perguntas que estão queimando minha boca. A primeira é que um mistério persiste para mim: como você explica que, durante pelo menos dois mil anos, o ódio, a hostilidade, com todas as variações que você descreveu, puderam assim se perpetuar? O que faz com que tudo recaia sempre sobre os judeus, e que isto continue hoje em dia, embora seja absurdo e irracional?*

— Para dizer a verdade, eu me fiz esta pergunta muitas vezes, e nunca encontrei uma resposta realmente satisfatória. A melhor, a meus olhos, é a ideia de que o povo judeu foi constituído, através da história, como a figura do mal e da desgraça. Sua presença no meio de outros povos sempre como minoria fez com que se tornassem o bode expiatório ideal. Os judeus são diferentes, mas não de modo radical. Eles estão na sociedade, mas têm referências religiosas e culturais que vão bem além das sociedades locais e nacionais. Eles também são, muitas vezes, ligados por laços familiares ou econômicos a redes de sociabilidade e de trocas que transcendem as fronteiras nacionais. Tudo isso os expõe, bem mais que a outro povo, não importa qual, de serem acusados, por aqueles com os quais coexistem, como a causa dos males que os afligem, apenas porque uma tradição foi rompida, há dois mil anos, por eles, que se recusaram a confiar em Jesus. É sobre eles, mais do que sobre qualquer um que podem recair acusações que remetem à ideia de causalidade diabólica da qual já lhe falei.

— *Mas os judeus são puras vítimas? Não têm uma parte de responsabilidade sobre o ódio que eles suscitam?*

— Você já me havia feito a pergunta, mas eis que ela retorna frontalmente. Os judeus são como outros humanos, capazes do pior, como os outros, mas também do melhor. Como povo, basta ler o Velho Testamento para ver que eles não se conduziram sempre como santos, e também, desde a criação de Israel, como Estado, eles cometeram atos de violência, foram injustos, se comportam como dominadores. Mas nada disso pode justificar esse ódio que vira obsessão. Esses rumores que não têm nenhum fundamento. Essas violências contra massas miseráveis que não cometeram nenhum outro crime a não ser existir. Essas acusações absurdas segundo as quais eles conspiram para dirigir o mundo e levá-lo à falência. Essa ideia de que eles formam uma raça, e não apenas um povo ou uma nação. Uma raça que por isso seria dotada de poderes maléficos. O antissemitismo não foram os judeus que o inventaram, ou que o fazem funcionar, e sim aqueles que querem discriminá-los, expulsá-los, destruí-los, que os odeiam por razões que não têm a ver, ou têm bem pouco a ver, com sua realidade. Isto é que faz, como já lhe disse, com que possa até existir o antissemitismo sem judeus, evocações do mal e de desgraça que eles encarnam mesmo que não existam.

— *Minha última pergunta talvez lhe espante: por que seria preciso que todo o mundo, judeus e não judeus, se sentisse igualmente preocupado? Afinal, o antissemitismo não é antes de tudo um assunto dos judeus?*

—Você bem sabe que isto não é verdade! Para começar, uma vez que os judeus são objeto de graves violências, de injustiças maciças, a história nos mostra que outros também são suscetíveis de sê-lo. Hitler e os nazis combinaram uma prioridade absoluta em relação aos judeus em seu frenesi racista. Mas eles realizaram um genocídio de ciganos no território do Terceiro Reich; eles se ocuparam de eliminar os deficientes mentais antes da guerra; os homossexuais da Alemanha e do leste da França ligado ao Reich foram internados nos campos de concentração nazistas; os eslavos foram considerados como uma população inferior fadada a ser escrava. E eles desprezavam e odiavam os negros.

Mas eu quero lhe responder sem meias-voltas: o antissemitismo diz respeito a todo o mundo. Uma sociedade que trata à parte um grupo humano, que tolera o desprezo contra ele, o ódio, práticas de discriminação, de segregação, de violências, é uma sociedade doente, uma sociedade injusta, não democrática, que se afasta de valores humanistas que ela deveria pretender, além disso, respeitar ou promover. O antissemitismo é o problema de todos os democratas, de todos os humanistas, não é apenas um problema dos judeus. O mesmo vale para todas as outras formas de racismo.

Este livro foi editado na cidade de São Sebastião do Rio de Janeiro, na primavera de 2014. O texto foi composto com a tipografia Bembo Std e impresso em papel Polen Soft 70g/m², nas oficinas da gráfica Edelbra.